Le temps
DES MIRACLES

Illustration de couverture : Studio Bayard
Getty Images / © Calum Colvin

© Bayard Éditions Jeunesse, 2009
18, rue Barbès, 92128 Montrouge Cedex
ISBN : 978-2-7470-2645-1
Dépôt légal : janvier 2009

Pour ma mère.

Anne-Laure Bondoux

Le temps
DES MIRACLES

BAYARD JEUNESSE

Anne-Laure Bondoux est née dans la région parisienne, en 1971. Enfant, elle grimpait aux arbres, elle jouait au foot, mais elle aimait aussi qu'on lui lise des contes et des poèmes. Elle rêvait de devenir exploratrice : finalement, les mots sont devenus son passeport favori pour voyager.

Après des études de lettres et trois ans à Bayard Presse, elle a commencé à publier des romans qui s'adressent particulièrement aux adolescents. Car, à cette période intense de la vie, la littérature est un lieu de rencontres très fortes !

Ses romans ont reçu de nombreux prix en France et à l'étranger. Ils sont traduits dans une vingtaine de langues.

Elle vit toujours près de Paris. Elle a deux enfants qui sont maintenant plus grands qu'elle...

Du même auteur chez Bayard Éditions Jeunesse :
Le destin de Linus Hoppe (2001), coll. « Estampille ».
La seconde vie de Linus Hoppe (2002), coll. « Estampille ».
Le destin de Linus Hoppe, coll. poche des « Romans de Je Bouquine »,
   n° 184
La tribu (2004), coll. « Estampille ».
Les larmes de l'assassin (2003), coll. « Millézime ».
Pépites (2005), coll. « Millézime ».
Le temps des miracles (2009), coll. « Millézime ».

Chez d'autres éditeurs :
La Princetta et le Capitaine (2004), Hachette Jeunesse.
La vie comme elle vient (2004), L'École des Loisirs.

Pour en savoir plus : **http://letempsdesmiracles.bondoux.net/**

1

Je m'appelle Blaise Fortune et je suis citoyen de la République de France. C'est la pure vérité.

Le jour où les douaniers m'ont trouvé au fond du camion, j'avais douze ans. Je sentais aussi mauvais que le local à poubelles d'Abdelmalik, et je ne savais répéter que cette phrase : *« jemapèlblèzfortunéjesuicitoyendelarépubliquedefrancecélapurvérité. »*

J'avais perdu pratiquement toutes mes choses précieuses en cours de route. Heureusement, il me restait mon passeport ; Gloria l'avait bien enfoncé dans la poche de mon blouson quand nous étions à la station-service. Les renseignements inscrits dedans prouvaient que j'étais né le 28 décembre 1985 au Mont-Saint-Michel, au bord de la Manche, page 16 de l'atlas vert. C'était écrit noir sur blanc. Le problème, c'était ma photo : elle avait été décollée puis recollée, et même si Monsieur Ha s'était parfaitement appliqué pour refaire le tampon officiel par-dessus, les douaniers n'ont pas cru que j'étais un vrai petit Français. J'aurais voulu leur expliquer mon histoire, mais je n'avais pas assez de vocabulaire. Alors ils m'ont tiré par le col de mon pull pour me faire sortir du camion et ils m'ont embarqué.

C'est comme ça que mon enfance s'est achevée : bru-talement, au bord de l'autoroute A4, quand j'ai compris que Gloria avait disparu et que j'allais devoir me débrouiller sans elle dans le pays des droits de l'homme et de Charles Baudelaire.

Ensuite, je suis resté des jours et des jours dans une zone d'attente, puis dans un centre d'accueil. La France n'était qu'une succession de murs, de grillages, de portes. Je dormais dans des dortoirs qui me rappelaient le grenier du *Matachine,* sauf qu'il n'y avait pas de lucarne pour voir les étoiles. J'étais seul au monde, vous voyez ? Pourtant, il fallait que j'empêche le désespoir de me ronger l'âme jusqu'à l'os. Et surtout, il fallait que j'aille au Mont-Saint-Michel pour retrouver ma mère ! C'était facile à expliquer, mais je ne connaissais pas la langue. Je ne pouvais pas raconter le Terrible Accident, ni les aléas de l'existence qui m'avaient conduit jusqu'ici ! Et, quand vous ne pouvez pas raconter, vous avez l'impres-sion de mourir d'étouffement.

Aujourd'hui, c'est différent. Les années ont passé, et je sais nommer chaque chose, employer les verbes, les adjectifs, les conjonctions et les conjugaisons. J'ai dans la poche un passeport neuf, en règle avec les lois du monde.

Il y a peu de temps, j'ai reçu une lettre de l'ambassade de France à Tbilissi disant qu'on avait peut-être retrouvé la trace de Gloria. Voilà pourquoi je suis assis dans cette salle d'embarquement, à l'aéroport Roissy-Charles-de-Gaulle, avec une valise, mon cœur gros et l'espoir fou de la revoir enfin. Mais, avant, il faut que je mette mes idées en ordre.

Alors voilà : je m'appelle Blaise Fortune. Je suis citoyen de la République de France, pourtant j'ai vécu les douze premières années de ma vie dans le Caucase, qui se situe entre la mer Noire et la mer Caspienne, à la page 78 de mon atlas vert. À cette époque, je parlais russe et les gens m'appelaient Koumaïl. Ça paraît bizarre, mais c'est simple à comprendre ; il faut juste que je raconte. Tout. Et dans l'ordre.

2

Mes plus anciens souvenirs remontent à l'année 1992, quand Gloria et moi habitons dans l'Immeuble avec d'autres familles de réfugiés. Je ne me rappelle pas le nom de cette ville. J'ai sept ans. C'est l'hiver, et nous n'avons plus d'électricité, plus de chauffage à cause de la guerre.

Il y a une odeur de lessive mélangée à celle du vinaigre.

Les femmes sont rassemblées au milieu de la cour, autour d'une énorme cuve en tôle sous laquelle flambent des bûches. Elles ont les bras nus, la peau rougie jusqu'au coude. Elles parlent et elles rigolent très fort. Un nuage de vapeur s'élève en déposant une buée épaisse sur les vitres des étages, tandis que le linge bout dans l'écume de notre crasse.

À l'écart, sous l'auvent, l'horrible Sergueï aiguise son rasoir. *Schlik, schlik.*

Il nous appelle, les uns après les autres :

— Toi ! Viens là !

L'horrible Sergueï ne connaît pas nos prénoms. Les gosses de l'Immeuble sont trop nombreux et la mémoire de l'ivrogne est fatiguée. Il gueule simplement : « Toi ! » en pointant son rasoir vers l'un de nous, et personne ne songe à lui désobéir tant il inspire la crainte avec son œil retourné et son nez aplati.

Avant de devenir coiffeur, l'horrible Sergueï était boxeur, le meilleur de toute la ville, paraît-il, jusqu'au jour où un Arménien nerveux l'a envoyé au tapis. C'était avant la guerre. Ce jour-là, Sergueï a tutoyé la mort, m'a dit Gloria. C'est pour ça qu'il est spécial et qu'il mérite notre respect. Aussi, lorsqu'il pointe son rasoir vers moi, je file dare-dare sous l'auvent.

Je m'assieds sur le tabouret à trois pieds, dos tourné, cœur battant, et je penche la tête en arrière. Le rasoir de Sergueï trace des sillons froids sur mon crâne, il le laboure méthodiquement jusqu'à ce que tous mes cheveux tombent, en voltigeant sur les pavés. Ensuite, l'horrible Sergueï trempe une serviette dans le tonneau de vinaigre et me frictionne la tête avec. Ça pique. Je pleurniche. Il me pousse pour me déloger du tabouret.

— Va voir ta mère, morveux !

Je me redresse, tondu, plein d'une douleur diffuse, et je cours me blottir dans les jupes de Gloria. Elle n'est pas ma mère, je le sais bien, mais je n'ai qu'elle.

— Magnifique ! s'exclame-t-elle en passant ses mains mousseuses sur mon crâne.

Je tends mon visage vers son visage. Elle se baisse et m'embrasse la joue en murmurant :

— Vous êtes vraiment splendide, *Monsieur Blaise*.

Je souris entre mes larmes. J'aime tellement lorsqu'elle m'appelle « Monsieur Blaise » en français et que personne ne peut comprendre !

— Allez, va jouer, Koumaïl, dit-elle à voix haute. Tu vois bien que je suis occupée !

J'essuie mes yeux et je détale pour rejoindre la troupe des gosses tondus, qui s'éparpille dans la cour.

La lessive, les rires, le rasoir, le vinaigre... Ainsi se déroulent nos combats contre les poux, les puces, et toutes les formes de parasites, y compris le plus redoutable d'après Gloria : le désespoir. Ce parasite-là, dit-elle, est plus malin et plus dangereux que l'Arménien qui a cogné Serguei. Il est invisible et il se faufile partout. Si tu ne fais rien, il te grignote l'âme jusqu'à l'os. Je m'inquiète : comment savoir si on a attrapé un désespoir, puisqu'on ne peut même pas le voir ? Comment faire si même le rasoir ne peut l'éliminer ? Gloria me serre contre sa poitrine. Elle m'explique qu'elle a un remède. Tant que je resterai près d'elle, il ne m'arrivera rien de grave, OK ?

– OK.

3

L'Immeuble est un ensemble de trois bâtiments dressés en forme de U autour de la cour. Nous avons une chambre au premier étage.

D'un mur à l'autre, je peux faire six pas en contournant le poêle à bois. Le papier peint se décolle du mur et, derrière, la peinture se détache aussi. Si je gratte le plâtre avec l'ongle, les briques apparaissent. L'Immeuble est fissuré, rongé par l'humidité qui remonte du sol car il est construit près du fleuve. Il est si pourri qu'il aurait dû être démoli, mais par chance la guerre a stoppé les bulldozers ; maintenant c'est notre refuge, une bonne cachette qui nous protège du vent et de la milice.

Le vent, je le connais bien : il descend des montagnes à la vitesse d'une avalanche, et s'engouffre sous les portes pour vous glacer les os. Par contre, je n'ai qu'une idée vague de ce qu'est la milice. Tout ce que je sais, c'est qu'elle me terrifie davantage que l'œil retourné de l'horrible Sergueï, et qu'ici chacun a une raison de s'en méfier. C'est pourquoi nous avons institué des tours de guet : nuit après nuit, nous surveillons l'entrée de l'Immeuble en nous relayant par groupe de quatre. Les petits, comme moi, accompagnent les plus âgés s'ils le souhaitent.

On m'a expliqué : si je vois s'approcher des hommes chaussés de bottes, si je vois leurs blousons en cuir et leurs matraques, je me précipite dans la cour et je frappe comme une brute sur la cloche qui est pendue sous l'auvent.

Il existe trois autres cas où l'on doit frapper comme une brute sur la cloche :

— si l'Immeuble brûle ;

— si l'Immeuble s'écroule ;

— si les eaux du fleuve Psezkaya débordent.

En dehors de ces circonstances, quiconque s'amuserait avec la cloche serait aussitôt chassé de l'Immeuble, est-ce bien clair ?

Quand je demande à Gloria ce que ferait la milice si jamais elle nous attrapait, son visage durcit et je regrette aussitôt ma question.

— Un garçon de sept ans n'a pas besoin de connaître tous les détails. Contente-toi de suivre le règlement, Koumaïl.

Je dis « OK », en français, comme elle me l'a appris, et je m'en vais jouer avec les autres dans la cage d'escalier, qui est notre château fort ou notre navire de combat selon l'inspiration du moment.

À cette époque, mes compagnons de jeux se nomment Emil, Baksa, Rebeka, Tamsin et Faïna. Ils sont maigres et pouilleux, souples comme des anguilles. Certains parlent le russe comme moi, d'autres non, mais depuis quand les enfants ont-ils besoin des mots pour se comprendre ? Nous courons à perdre haleine. Nous dévalons les escaliers, nous nous cachons dans les toilettes, ou derrière les draps qui sèchent sur le toit pour faire peur à cette vieille bique de Mme Hanska. Nos éclats de rire traversent l'Immeuble de haut en bas, plus vite que les courants d'air.

Gloria dit qu'elle aime m'entendre rire, que c'est la chose la plus importante du monde.

Moi aussi, j'aime l'entendre rire, mais très souvent Gloria tousse et ça, je n'aime pas : d'un coup, elle devient violette, elle perd son souffle, et j'ai l'impression d'entendre aboyer un chien à l'intérieur d'elle. Je ne suis pas docteur, bien sûr, mais je devine que cette toux est mauvaise comme la mort. Que se passerait-il si Gloria mourait ?

— Tatata ! s'esclaffe-t-elle une fois la quinte passée. Ne faites pas cette tête d'enterrement, Monsieur Blaise !

Vous savez bien que je suis aussi solide que les arbres ! Allez, Koumaïl, file ! Va chercher de l'eau si tu veux manger ce soir !

Je galope avec le seau jusqu'au tuyau de la cour. Je suis toujours d'accord pour aider et rendre service, car j'ai hâte de grandir. Je sens confusément que le monde où nous vivons est hostile aux êtres petits et faibles. Je rêve du jour où mes jambes seront assez longues pour me permettre de courir très vite et où je serai assez costaud pour porter tout seul le sac en toile kaki que Gloria appelle notre « barda ».

Depuis que nous vivons dans l'Immeuble, le barda est rangé au-dessus de la porte, sur une étagère. Pour l'instant, il ne contient que la boîte en fer où Gloria cache ses secrets, et je n'ai pas le droit de l'ouvrir.

Le reste est en vrac dans la chambre : nos vêtements, mon atlas vert, les couvertures, le nécessaire de cuisine, le violon qui n'a plus de cordes, le poste de radio et le samovar de Vassili pour préparer le thé. Si un jour j'entends sonner la cloche, je sais comment m'y prendre : monter sur la chaise, attraper le barda et fourrer nos affaires dedans à toute vitesse. Parfois, je m'entraîne mentalement à effectuer ces gestes d'urgence – la chaise, le barda, les affaires – et j'imagine comment l'Immeuble se viderait d'un coup de ses habitants, un peu comme une baignoire qu'on débouche. Je demande à Gloria ce que nous ferions ensuite. Elle hausse les épaules :

— Ce que nous avons toujours fait, Koumaïl : marcher droit devant vers d'autres horizons.

— OK.

Dans l'Immeuble, chacun a des histoires à raconter. Des tremblements de terre et des effondrements de mines, des jours de prison, des parties de poker dans des ports de commerce, des accouchements, des séparations et des retrouvailles, et même le vieux Max vous dira comment il a perdu trois doigts en travaillant dans un abattoir. Tout est neuf pour moi, je pose sans cesse des questions et j'apprends vite, mais aucune histoire ne me fascine davantage que la mienne lorsque Gloria me la chuchote, le soir, avant de dormir.

— Encore ? demande-t-elle en ajoutant une bûche dans le poêle à bois.

— Oui, encore ! Avec tous les détails !

Elle s'assied sur le lit. Son visage tremble dans les lueurs du poêle. Elle remonte la couverture en peau de mouton sous mon nez et elle commence :

— C'était la fin de l'été et j'habitais alors chez le vieux Vassili, mon père.

— Celui qui t'a donné le samovar ?

— Oui, Koumaïl. À cette époque, Vassili possédait le plus beau verger du Caucase. Bon Dieu, tu aurais vu ça !

Des pommiers, des poiriers, des pêchers, des abricotiers, des hectares et des hectares couverts d'arbres ! Avec d'un côté la rivière, et de l'autre la voie ferrée...

— C'est là que tu te promenais avec ZemZem !

Un brasier s'allume dans les yeux de Gloria. Elle dit :

— Attends, tu vas trop vite... Je raconte toujours dans l'ordre, tu le sais.

Je prends sa main et je ne dis plus rien. J'écoute mon histoire. Dans l'ordre.

4

Le vieux Vassili porte une grande moustache taillée en pointe et une paire de bretelles solidement fixées à son pantalon. Lorsqu'il sourit, sa moustache lui chatouille les oreilles et, quand il lève les bras au ciel, les bretelles tirent le pantalon si haut qu'on peut voir ses mollets poilus.

Vassili ne sourit pas souvent, ça non. En revanche, il lève les bras au ciel plusieurs fois par jour en prenant un air désespéré à cause des tracas de l'existence. Il engueule la terre entière, et surtout ses employés :

— Dépêchez-vous, bande d'empotés ! Doucement avec les pêches ! Mollo avec les abricots ! Et réparez-moi ce camion avant que ma colère ne vous tombe dessus comme la foudre !

Les employés s'activent jusqu'au prochain souci, et Vassili frise sa moustache en massant son estomac troué d'ulcères.

Heureusement, il a aussi une femme magnifique : Liuba, qui est, dit-il, comme du miel sur la langue râpeuse de la vie. Elle lui a donné six enfants. Six ! Dont une seule fille, Gloria.

Le soir, dans la maison en bois, la famille se réunit pour chanter, manger des pâtés de viande et boire le thé du samovar. On s'assied sur les tapis, en rond, les plus petits entre les jambes de leur mère, les plus grands entourant Vassili. Gloria, toujours à sa gauche.

— Un jour prochain, explique Vassili à ses fils, ce que je possède sera à vous. La richesse de cette terre, ses fruits miraculeux, mais aussi les emmerdements qui vont avec. Je vous léguerai tout ! Bon débarras ! Moi, j'irai me reposer, vous ne m'entendrez plus rouspéter et, enfin, je n'aurai plus mal à l'estomac.

Puis il se tourne vers Gloria :

— Toi, c'est différent. Tu feras ton choix.

Gloria fronce les sourcils et l'interroge. Quel choix ? Pourquoi est-ce différent pour elle ?

— Tu es ma seule fille, répond Vassili, et, si tu le désires, cette maison sera ton domaine. Tu y seras la reine, sans aucun doute. Mais..., vois-tu, je te connais ! Et je devine que tu vas partir.

Gloria regarde ses frères : Fotia et Oleg avec leurs épaules d'athlète, Anatoli qui louche derrière les verres épais de ses lunettes, Iefrem plus frisé qu'un agneau, et

Dobromir avec son sourire d'angelot. Elle regarde Liuba, sa mère, qui cache son visage sous la houle noire de ses cheveux, et aussi les meubles décorés de la maison, les tapis, les lampes qui projettent des cercles sur les murs. Elle entend, au-dehors, bruire le verger dans le vent nocturne. Pourquoi n'aurait-elle pas sa place dans ce paradis ?

— Tu te trompes, Vassili. Je n'ai pas envie de partir !

Pour le prouver, Gloria imite ses frères. Tous les jours, elle enfile une salopette, serre ses cheveux sous un foulard, et va travailler dans le verger. Elle apprend à soigner les arbres, à les protéger des parasites, à les couvrir de filets pour empêcher les oiseaux de picorer leurs fruits. Au moment de la récolte, elle est la première à grimper aux échelles, un sac autour du cou, la première à dégringoler en bas et à courir jusqu'au camion pour déverser des kilos de pommes dans la benne.

Elle grandit. Elle devient aussi forte que Fotia, son frère aîné. Aussi résistante qu'Oleg, le second.

À seize ans, elle apprend à conduire les camions.

À dix-sept, elle sait réparer les moteurs, graisser les pistons, comme n'importe quel employé de Vassili. Le soir, les bras noirs de cambouis, elle s'assied à la gauche de son père, cheveux dénoués, belle comme une plante sauvage. Elle répète :

— Je n'ai pas envie de partir. Pourquoi dis-tu que je suis différente ?

Vassili fait claquer ses bretelles ; ça signifie qu'il n'a pas envie de répondre.

Pourtant, un jour, Gloria comprend qu'elle n'est pas comme ses frères. C'est le jour où elle rencontre ZemZem, tout au fond de l'alignement des abricotiers, au bord de la voie ferrée.

ZemZem arrive en camion avec des saisonniers embauchés par Vassili. Ils sont nombreux, jeunes, pauvres et pleins de poussière, mais ZemZem a quelque chose de plus. On ne saurait dire quoi… C'est comme s'il avait un soleil au-dessus de la tête. Alors, bien sûr, Gloria ne voit que lui au milieu des autres, et elle manque de tomber de l'échelle quand il la regarde.

À midi, contrairement à son habitude, elle ne se mêle pas à la troupe des cueilleurs. Elle a besoin de marcher, de réfléchir, et puis… elle n'a pas faim. Elle s'éloigne le long de la voie ferrée.

Lorsqu'elle se retourne, ZemZem est là, derrière elle.

— J'ai vu que tu t'en allais sans emporter d'eau, dit-il. C'est mauvais de rester au soleil sans rien boire. Tiens.

Il lui tend sa gourde.

Gloria s'assied d'un coup sur une traverse de la voie ferrée, étourdie.

— Tu vois, sourit ZemZem, tu n'as plus de force !

Gloria accepte l'eau. Ses joues sont brûlantes.

— Je t'ai vue travailler, poursuit-il. Très impressionnant ! Tu cueilles plus vite que n'importe qui !

Gloria n'arrive pas à dire un traître mot. C'est comme ça, paraît-il, quand on tombe amoureux. Mais, brusquement, les rails frémissent.

– Le train !

Elle pousse ZemZem sur le bas-côté, et les voilà collés l'un contre l'autre, pétrifiés.

Lorsque le train arrive, ils sont pris dans un tourbillon d'air chaud et métallique. Le cœur de Gloria bat au rythme du convoi, *tatactatoum tatactatoum* ; c'est le plus beau jour de sa jeunesse.

Ensuite, ils prennent l'habitude de se retrouver là, tous les midis. Ils marchent en équilibre sur les rails, font semblant d'être des funambules et lancent des paris sur l'exactitude de l'express. C'est une vieille machine capricieuse, mais généralement, durant l'heure du déjeuner, ils finissent par l'entendre arriver.

C'est comme ça qu'à la fin de la récolte, alors qu'ils se sont déjà embrassés cent vingt-sept fois et des poussières, ils assistent au Terrible Accident...

5

Quand Gloria en arrive à ce moment du récit, je suis à genoux sur le lit, hors de la couverture, toute fatigue envolée. Je frappe le matelas avec mes poings :

— N'oublie pas les détails, hein ! Les blessés, les wagons éventrés, le feu, tout !

Gloria fait les gros yeux et, chaque fois, je suis obligé de me calmer, de me rallonger sagement et d'attendre qu'elle se décide.

Je compte jusqu'à cinquante en regardant le papier peint décollé comme si je m'ennuyais, et, quand ma respiration s'apaise, elle dit :

— D'abord, c'est ZemZem qui a entendu l'express.

Je l'interromps aussitôt :

— Il avait l'oreille fine, pas vrai ?

— Très fine, Koumaïl. Il venait d'une région lointaine, d'un peuple de chasseurs, et son père...

— … était le chef du village ! Je sais ! Il pouvait même entendre murmurer les morts…

— Absolument. C'est pourquoi ZemZem a entendu bien avant moi les grincements et les sifflements du train. Il m'a serré la main très fort, et il a compris qu'il se passait quelque chose d'anormal. Nous avons commencé à courir près des voies, et tout à coup…

— Le fracas !

— Un fracas épouvantable, Koumaïl. Comme une détonation suivie d'un déchirement. Un bruit à te dresser les cheveux sur la tête… Puis nous avons vu s'élever le nuage de fumée. Quand nous sommes arrivés, essoufflés, en nage…

— Juste après le virage, hein ?

— Oui, à l'endroit où poussaient les poiriers. C'est là que nous avons vu la locomotive en flammes. Les wagons étaient sortis des rails, renversés comme des dominos. Des gens hurlaient, coincés sous les débris. Les rescapés étaient assis par terre, hagards, pendant que le feu se propageait aux arbres.

— Les gens brûlaient ? Tu les as vus ?

— Non, Koumaïl, je ne les ai pas vus. C'est l'odeur qui était insupportable.

— Cochon grillé !

— Pire que ça. Je ne peux pas décrire cette odeur. ZemZem m'a dit de porter secours aux blessés et il est parti en courant vers la maison de mon père pour chercher des renforts.

— Et surtout le camion-citerne !

Gloria hoche la tête. Je n'oublie jamais aucun détail, elle le sait. Je pourrais la raconter moi-même, cette histoire, comme si je l'avais vécue. Mais je préfère l'entendre.

— Je me suis précipitée vers les wagons de queue et j'ai aidé deux hommes à soulever une pièce de bois qui écrasait les jambes d'un vieillard. Autour de nous, d'autres personnes appelaient à l'aide, mais nous n'étions pas assez nombreux. J'ai pu faire sortir deux enfants par une brèche du cinquième wagon. Et c'est là que j'ai entendu les appels d'une femme.

Je crie avec ma voix pointue, en essayant de reproduire l'accent français :

— *Ossecourédémoi !*

— Exactement. *Ossecourédémoi !* Je me suis faufilée par la brèche...

Je ris en regardant Gloria :

— À l'époque, tu étais maigre comme un clou ! C'est pour ça que tu as pu entrer, pas vrai ?

Gloria me pince la joue. Elle fait semblant d'être vexée, pourtant je sais qu'elle ne m'en veut pas.

— J'ai grossi, je vous l'accorde, Monsieur Blaise... Passons ce détail, voulez-vous ? Je me suis glissée dans le wagon, et j'ai rampé entre les sièges tordus, jusqu'à la femme. Elle était roulée en boule dans un coin, du sang sur le visage.

À partir de là, je n'interromps plus Gloria. Chaque mot qu'elle prononce est d'une importance capitale.

— Je me suis approchée, et j'ai découvert qu'elle tenait un bébé contre sa poitrine. Elle m'a suppliée du regard et j'ai compris ce qu'elle attendait de moi.

Gloria pose sa main sur mon front. Elle sourit avec une tendresse qui me fracasse le cœur.

— Cette femme avait le dos brisé, elle ne pouvait plus bouger. J'ai passé mes bras autour du bébé et je l'ai pris. Elle m'a fait comprendre qu'elle était française et m'a dit son nom : Jeanne Fortune. Puis elle a désigné son fils en murmurant : Blaise. C'est comme ça que je t'ai sauvé. Quand les secours sont arrivés à bord du camion-citerne avec Vassili et ZemZem, j'étais debout sous les poiriers. Je pleurais. Les hommes ont commencé à éteindre l'incendie, puis ils ont pris des haches, des tronçonneuses, pour découper les wagons et sortir les survivants. J'ai attendu avec toi. Tu t'étais endormi contre mon ventre. Tu n'as pas vu les hommes transporter ta mère au-dehors.

Je tremble sous la couverture, les yeux écarquillés. Je vois tout : le visage très pâle de ma mère, ses cheveux couleur de miel collés par le sang, son corps mou comme un chiffon. Elle a les paupières fermées. Elle est allongée dans l'herbe roussie par l'incendie. Est-elle morte ?

— Elle était seulement évanouie, j'en suis certaine, continue Gloria. Des ambulances sont arrivées de la ville. J'ai voulu monter dans celle qui emportait ta mère, mais les médecins m'en ont empêchée. Il y avait tellement de blessés ! Il fallait laisser la place... ZemZem est venu près de moi. Je lui ai montré le bébé. Il a posé sa main sur ta joue et il a dit que tu étais un miracle. Là, tu as ouvert les yeux. On aurait juré que tu comprenais.

La nuit est tombée depuis longtemps. J'entends les bruits familiers de l'Immeuble : les voix dans les couloirs des étages, les pas sur le plancher du dessus, et les vocalises de Mademoiselle Talia, l'ancienne chanteuse de l'Opéra national. Je n'arrive jamais à me sentir complètement triste quand Gloria me raconte le Terrible Accident et le dos brisé de ma mère. C'est comme si elle me parlait d'évènements vieux comme le monde, une sorte de légende.

Gloria se lève et se sert une dernière tasse de thé tiède. Mon corps pèse lourd sur le matelas. Je bâille :

— Tu as cherché ma mère partout avec ZemZem, sans pouvoir la retrouver. Son nom n'était pas inscrit sur les registres des hôpitaux, hein ? Et, même si tu avais voulu me rendre, ça n'arrangeait personne de s'occuper d'un bébé : c'est pour ça que tu m'as gardé.

Gloria soupire et je vois qu'elle a sommeil, mais elle sait que je ne la laisserai tranquille qu'une fois l'histoire achevée.

— Tout était devenu compliqué, parce que la guerre avait éclaté. En réalité, le train n'avait pas déraillé par hasard : c'était un sabotage. Le verger a été réquisitionné par la milice, «pour l'effort de guerre», ils ont dit. Ils ont pris la maison, les camions, et même les arbres ! Ils ne nous ont laissé qu'un cabanon. ZemZem et mes frères ont été recrutés par l'armée. Avant de partir, chacun d'eux m'a fait cadeau d'une chose précieuse.

Je connais par cœur la liste des choses précieuses :

— Fotia t'a donné son poste de radio, mais il avait oublié les piles. Oleg t'a donné son violon qui n'avait plus de cordes. Iefrem t'a donné son atlas vert. Dobromir, sa couverture très chaude en peau de mouton. Et Anatoli, un livre de poésie, que tu as perdu, malheureusement.

Comme chaque fois, je termine par la même question :

— Et ZemZem ? Qu'est-ce qu'il t'a donné ?

Gloria pose un doigt sur ses lèvres et répond que c'est un secret. Ce que ZemZem lui a donné est si précieux et si beau qu'elle ne peut rien en dire. Comme chaque fois, je suis déçu. Je réclame, j'insiste, je supplie, en vain. Gloria me sourit :

— Un jour, peut-être, je te le dirai...

— Quand ?

— Un jour.

Je soupire, vaincu, et je demande la fin de l'histoire.

— Après le départ de ZemZem et de mes frères, je suis allée trouver mon père et ma mère. Je leur ai annoncé que je les quittais moi aussi. J'étais responsable de toi, il fallait que je t'éloigne des soldats et des bombes. Liuba, ma mère, m'a fait cadeau de son nécessaire de cuisine. Le vieux Vassili m'a donné son samovar en disant : «Tu vois, je savais que tu partirais... Va, ma fille, et trouve un endroit pour vivre heureuse. »

J'ajoute alors les mots qu'elle m'a si souvent répétés :

— C'est comme ça qu'il t'a surnommée Gloria Bohème. «Bohème», c'est un mot qui veut dire qu'on est toujours libre et qu'on peut passer toutes les frontières.

— Oui, Koumaïl. Et, après, Vassili a fait claquer ses bretelles. Il n'avait plus envie de parler.

Une ombre triste éteint le regard de Gloria. Elle s'allonge sur l'autre matelas ; je vois son ventre qui ondule comme une colline sous la couverture. Elle tousse, tousse, tousse. À s'en arracher la gorge.

J'avale ma salive pour dénouer le nœud qui m'étrangle. En espérant la consoler, je dis :

— Un jour, tu retrouveras ZemZem, et moi, je retrouverai ma mère.

La bûche achève de se consumer dans le poêle. Gloria reprend son souffle et je pose une dernière question :

— Et mon père ? Tu ne l'as pas vu dans le wagon ?

— Non, Koumaïl, je ne l'ai pas vu.

Le silence est tombé sur l'Immeuble. Dans le noir profond, elle me chuchote :

— Allons, dors, petit miracle. Demain, la vie sera meilleure.

6

Dans l'Immeuble, il y a toutes sortes de gens : des paysans qui ont été chassés de leurs fermes à cause des réquisitions, des ouvriers qui ont perdu leur travail, des vieux qui n'ont plus vraiment leur tête, des marins échoués, des femmes sans mari, des déserteurs, un moine méditatif et Mademoiselle Talia, qui chantait autrefois à l'Opéra. Il y a aussi un grand garçon noir nommé Abdelmalik.

Abdelmalik habite juste à côté de chez Emil, dans le local à poubelles. Bien sûr, plus personne n'y dépose ses ordures depuis qu'il est habité, mais la puanteur reste incrustée dans les murs, on n'y peut rien, et Abdelmalik a beau se laver, se frotter la peau jusqu'au sang, il dégage quand même ce relent de beurre rance et d'épluchures putréfiées.

— Désolé, dit-il, chaque fois qu'il doit entrer chez quelqu'un.

Au début, on se bouche le nez ; après, on s'habitue.

D'après Emil, Abdelmalik a dix-neuf ans et il s'est évadé d'une prison. C'est là qu'il a appris à se battre.

— Bien obligé ! m'explique Emil. En prison, si tu te bats pas, t'es mort !

Pour nous distraire, Abdelmalik nous fait des démonstrations dans la cour ou sur le toit de l'Immeuble quand il n'y a pas trop de vent. Nous formons un cercle autour de lui et il commence : il se balance d'un pied sur l'autre, poings levés à hauteur du visage… *Han !* il envoie un coup en l'air. Il se baisse pour éviter la riposte de son adversaire imaginaire, et *tchac !* un coup de pied ! Il tourne, il virevolte. Ses bras fracassent des mâchoires invisibles, ses jambes cisaillent et fouettent. On frappe en rythme dans nos mains. Ça ressemble à une danse.

— Mouais…, soupire Emil, c'est trop facile ! Moi, ce que je voudrais, c'est voir un vrai combat, avec un adversaire réel.

— Faudrait demander à Sergueï, je dis.

Nous sommes d'accord : seul l'horrible Sergueï saurait se battre contre Abdelmalik. Mais nous avons bien trop peur pour oser lui faire la proposition.

Certains jours, Mme Hanska, la vieille bique, nous fait la classe. Elle se vante d'avoir autrefois dirigé une maison pour jeunes filles. Nous ne savons pas vraiment ce que cela signifie, mais c'est comme ça qu'elle dit — « une maison pour jeunes filles » — et elle gonfle la poitrine pour se donner un air important. D'après elle, cela l'autorise à nous enseigner l'essentiel.

Personne ne rechigne, car l'école est une bonne distraction, qui nous change des corvées et des cavalcades dans l'escalier. Nous nous entassons dans son minuscule appartement : les premiers arrivés prennent le divan, les chaises, le plancher. Les derniers restent debout, le dos contre la porte d'entrée. En hiver, c'est bien, on se tient chaud. En été, l'appartement de Mme Hanska est peuplé de fronts moites et de tempes dégoulinantes.

Mme Hanska pioche la matière de ses leçons dans les pages d'un livre usé et nous fait répéter en vrac un tas de choses auxquelles nous ne comprenons pas grand-chose : des proverbes, la liste des Sept Merveilles du monde, l'échelle de Richter qui permet de mesurer les tremblements de terre, les douze travaux d'Hercule et les planètes du Système solaire, mais aussi des recettes de cuisine, des chansons, les capitales du monde et le langage des fleurs.

Mes connaissances sont vastes et disparates. À bientôt huit ans, je sais à peine écrire mon nom, mais je peux réciter, de 1 à 10, l'échelle de dureté des minéraux sans me tromper : talc, gypse, calcite, fluorite, apatite, feldspath, quartz, topaze, corindon, diamant.

Un jour que Mme Hanska nous apprend un chant de Noël, Mademoiselle Talia fait irruption dans l'appartement, cramoisie, et s'écrie : « Ça suffit ! »

Elle enjambe ceux qui sont assis par terre, se campe devant nous, ouvre la bouche et émet un son continu, monocorde, interminable. Puis elle fait un geste avec sa main droite, comme si elle attrapait une mouche, et le silence tombe aussi sec. Elle sourit.

— À vous !

Nous ouvrons nos bouches timides. Trente notes différentes s'entrechoquent. Mademoiselle Talia grimace et attrape une mouche : silence. Bon. Elle se gratte le menton, perplexe, puis recommence avec sa bouche, encore et encore, jusqu'à ce que nous soyons capables de produire ensemble le même son qu'elle.

— Ouf ! soupire-t-elle. Je ne vous promets pas que nous chanterons un jour *La Traviata*, mais nous arriverons peut-être à célébrer Noël sans nous crever les tympans.

La nouvelle se répand bientôt dans l'Immeuble que Mademoiselle Talia, chanteuse de l'Opéra national, enseigne la musique aux enfants. Tiens donc ! Cela donne des idées ! Tour à tour, les adultes frappent à la porte de Mme Hanska pour proposer leurs services, et c'est ainsi que nous apprenons :

— les races de vaches et les différents morceaux du bœuf avec Max ;

— les noms des épices, des plantes et leurs fonctions médicinales avec la vieille Lin ;

— les saints martyrs et les prières avec le moine méditatif ;

— la couture avec Betty, la maman de Rebeka ;

— des mots d'arabe avec Jalal et Nasir, les jumeaux déserteurs ;

— les règles du poker, du bridge et du black jack avec Kouzma, l'ancien marin.

Au bout du compte, nous avons école chaque jour et l'Immeuble devient, selon la formule de Gloria, «l'université des pauvres». J'enregistre tout, en vrac, n'importe comment. Je me moque de savoir à quoi ça pourrait bien me servir. Les connaissances s'entassent dans ma tête et me tiennent compagnie.

Au printemps, nous réclamons à Abdelmalik qu'il nous enseigne l'art de combattre. Il accepte, et nous voici torses nus, à nous balancer d'un pied sur l'autre dans la cour. Poings levés à hauteur du visage… *Han !* un coup en l'air. On se baisse pour éviter la riposte et *tchac !* un coup de pied ! Nos mains fracassent des mâchoires, nos jambes maigres cisaillent et fouettent ; nous dansons avec Abdelmalik.

Soudain, l'horrible Serguéï surgit dans la cour. Cette fois, ce n'est pas son rasoir qu'il tient à la main, mais sa vieille paire de gants de boxe. Il s'approche d'Abdelmalik.

— Tu pues ! le provoque-t-il.

— Désolé, s'excuse l'autre.

— Lavette ! crie Sergueï. Qu'est-ce qu'on t'a appris, en prison ?

Sergueï enfile ses gants. Il a la tremblote parce qu'il picole, mais, tout de même, il fait peur.

— Alors ? Qu'est-ce qu'on t'a appris ? Vas-y ! Montre-moi !

Abdelmalik se retourne et nous envoie un regard navré. *Vlan !* Sergueï en profite : crochet du droit en plein dans le nez ! Un murmure d'effroi et d'excitation s'élève de notre troupe. Emil est le premier à réagir :

— Abdelmalik, défends-toi !

Instantanément, le grand Noir devient notre champion. Trente voix scandent son nom, dont l'écho se répercute contre les murs de l'Immeuble, si bien qu'à chaque fenêtre apparaissent des visages curieux. J'aperçois celui de Gloria, au premier étage. Elle fronce les sourcils.

Le match s'engage.

Galvanisé, Abdelmalik déploie ses muscles et nous ne voyons plus que lui : sa vigueur, sa jeunesse insolente. Il esquive, saute, décoche ses coups dans la trogne sèche de l'ivrogne, qui vacille à plusieurs reprises, sans jamais tomber. Le vieux encaisse, retrouve peu à peu son jeu de jambes. L'arcade sourcilière d'Abdelmalik est fendue. Un voile sanglant descend sur son œil gauche.

Emil s'époumone :

— Attention ! Ta garde ! Baisse-toi ! Vas-y, rentre-lui dans le lard !

La pupille valide de Sergueï brûle de haine. Il crache par terre, et toute la rancœur emmagasinée contre l'Arménien qui avait failli le tuer autrefois s'exprime à ce moment-là. Il écume de rage :

— Je vais te régler ton compte, sale métèque !

Parmi les spectateurs, les injures fusent.

— Redresse-lui le nez, il sera moins laid ! lance Emil à notre champion. Vas-y, cogne !

Abdelmalik martèle, appliquant les conseils. En trois coups bien placés, il dézingue le vieux et lui fait sauter deux dents. Un dernier assaut, et l'horrible Sergueï s'écroule sur les pavés humides, le corps en miettes.

Un silence plane sur la cour de l'Immeuble, dense comme une nappe de brouillard. Abdelmalik reste debout, fier et magnifique, prêt à remettre le couvert. Mais c'est fini. L'ivrogne rampe vers l'auvent. Il bave, il gémit son déshonneur.

Le soir même, la rumeur court que Sergueï est parti, qu'il a emballé ses affaires et que nous ne le reverrons plus jamais.

Gloria secoue la tête.

— Nom de Dieu, je n'aime pas ça ! Pas ça du tout...

Je vois qu'elle jette un coup d'œil vers notre barda posé sur l'étagère.

Quelques jours plus tard, Emil et Baksa viennent me chercher. Ils m'entraînent jusqu'au local à poubelles où vit Abdelmalik. Nous nous bouchons le nez tellement ça pue fort.

Nous frappons à la porte, silence. Je tourne la poignée. La porte s'entrouvre, libérant un flot de pestilence qui nous donne envie de vomir.

Le vieux Max surgit sur le palier. Il dit :

— Ça sent comme à l'abattoir, poussez-vous de là !

Nous restons derrière lui quand il passe la porte. Il râle encore :

— Fait plus sombre que dans le cul d'une poule, là-dedans ! Attendez…

Le vieux Max trouve l'interrupteur ; il allume la lumière… Nous voyons le corps gisant d'Abdelmalik contre le mur. Il a la gorge tranchée. Au rasoir.

7

C'est de nouveau l'hiver et j'ai huit ans. Depuis la mort d'Abdelmalik, nous avons tous peur que Sergueï revienne ou qu'il nous dénonce à la milice. Mademoiselle Talia ne donne plus de cours de chant et Mme Hanska nous a chassés de son appartement. Elle dit que nous devons rester à notre place et ne pas chercher à en savoir trop, allez, ouste !

Le vieux Max veut bien nous raconter encore les différents morceaux du bœuf — flanchet, macreuse, entrecôte, gîte, bavette, rumsteck —, mais nous avons tellement faim que l'énumération tourne à la torture.

Nous reprenons nos jeux dans les escaliers. Pourtant, je sens bien que Tasmin, Rebeka et Faïna n'en ont plus envie. Elles préfèrent bavarder en se brossant tour à tour les cheveux, s'enrouler dans des tissus récupérés çà et là. Elles ne croient plus à nos histoires de navire en perdition. Emil, qui est toujours plus malin que moi, me flanque des coups de coude en désignant leurs tétons naissants. Il dit :

— T'as vu ?

Et je ne reconnais pas sa voix.

Je rentre, boudeur, dans notre petite pièce. Je m'allonge sur le matelas et Gloria me demande ce qui ne va pas. J'émets une hypothèse :

— J'ai attrapé un désespoir.

— Tatata !

Gloria m'allonge sur le matelas et m'inspecte des pieds à la tête avec un regard de spécialiste. Elle écarte mes orteils, me palpe le ventre, grattouille, chatouille. Je finis par me tordre de rire.

— Si vous voulez mon avis, Monsieur Blaise, vous n'êtes pas atteint ! déclare-t-elle.

Je reprends mon souffle et je lui explique ce qui me tracasse. Depuis la mort d'Abdelmalik, tout a changé. Sans l'université, j'ai l'impression d'avoir un estomac vide à la place du cerveau.

— C'est comme ça avec la peur, m'explique Gloria. Chacun pour soi. Mais bientôt nous partirons. Et, là-bas, ce sera mieux, tu verras.

— C'est où, là-bas ?

Gloria fait un geste vague de la main.

Je pense à Vassili avec sa grande moustache et ses bretelles qui claquent. Aux poiriers, aux abricotiers, à la voie ferrée, à ZemZem et aux cinq frères de Gloria Bohème. Je pense à Jeanne Fortune et à la République de France. Je me sens tiraillé entre plusieurs envies, et je n'arrive pas à choisir.

L'eau frémit dans le samovar. Je demande :

— Pourquoi il y a la guerre ?

— Pour comprendre une telle chose, soupire Gloria, il faudrait que je t'explique le Caucase...

— Et tu ne peux pas ?

— Non. Personne ne sait expliquer le Caucase.

Je prends mon atlas vert et je l'interroge encore :

— Quand est-ce que la guerre va finir ?

— Quand le peuple sera épuisé, sans doute. Quand il n'y aura plus de combattants. Mais ça peut durer longtemps, car nous sommes nombreux. Des enfants naissent chaque jour, grandissent, et font de nouveaux soldats.

— Moi aussi, je serai soldat ?

— Nom de Dieu, sûrement pas ! sursaute Gloria. Cette guerre ne concerne pas les citoyens français, tu le sais bien !

Je tourne en rond dans notre pièce en me frottant les bras pour me réchauffer. Je réfléchis à voix haute :

— Personne ne sait que je suis français, pas vrai ? Les gens pensent que je suis russe et que je m'appelle Koumaïl. Je n'ai même pas les cheveux couleur de miel, comme ceux de ma mère...

— Tu lui ressembles, pourtant.

— Ah ?

Gloria est formelle sur ce point : quand on regarde attentivement, quand on écarte un peu mes mèches sombres, on y voit des reflets clairs. Des éclats de miel.

Elle me tend une tasse de thé. Depuis quelques semaines, nous n'avons plus de sucre ; mon ventre est une outre gonflée d'eau amère.

— D'ailleurs, tu ressembles aussi à ton père, ajoute Gloria.

Je secoue la tête. Comment peut-elle le savoir, puisqu'elle ne l'a jamais vu ?

— Tous les enfants ressemblent à leur père, Monsieur Blaise. C'est la génétique qui veut ça.

J'ignore ce qu'est la génétique, alors je reste coi. Il y a tant de mystère autour de mon passé que je préfère penser à l'avenir. Je rêve devant la page 16 de mon atlas : Paris, Nice, Orléans, Brest, l'océan Atlantique et le mont Blanc.

Soudain, je m'inquiète :

— Si je retourne en France un jour, tu viendras avec moi, hein ?

D'une voix sourde, Gloria répond :

— Je t'accompagnerai le plus loin possible, Koumaïl.

8

Cet hiver-là, j'obtiens le droit de sortir de l'Immeuble avec Gloria. Jusqu'à présent, c'était hors de question. Quand les adultes ont du travail à l'extérieur, les plus jeunes doivent rester à l'abri, à l'intérieur, c'est la règle. Mais je pleurniche tellement pour venir qu'elle finit par céder.

C'est un matin de grésil et le jour n'est pas encore levé. Nous empilons nos fripes les unes par-dessus les autres pour affronter la température. Emil et Baksa me regardent partir avec une pointe de jalousie qui me rend fier.

Nous traversons des rues sifflantes de courants d'air, des terrains noirs et boueux. Nous longeons des murs d'usine derrière lesquels des cheminées surgissent. Je me cramponne à la main de Gloria. Cette partie de la ville me semble triste et accablée. Les passants que nous croisons marchent vite en baissant la tête.

Enfin, nous arrivons sur une place sillonnée de rails, et Gloria m'explique que nous allons prendre le tramway.

Quand l'engin arrive, elle me pousse à l'arrière et grimpe après moi en soufflant tout ce qu'elle peut. Son embonpoint l'encombre ; moi, je me blottis contre ses rondeurs rassurantes. Nous voilà tassés au milieu d'une foule humide. Des visages inconnus, fatigués et muets, dodelinent autour de nous au rythme des cahots. Je pense au train dans lequel j'étais avec ma mère lorsqu'il a déraillé.

Nous descendons en bout de ligne dans un quartier très différent du nôtre, avec des boulevards larges, des boutiques, des étalages sur les trottoirs et des affiches publicitaires accrochées aux toits des immeubles. Je lève le nez, tandis que Gloria m'entraîne au pas de charge vers l'entrée du plus gros magasin, dont je déchiffre l'enseigne : *Kopeckochka*.

— C'est ici que tu travailles ?

— Ici ou là, me sourit Gloria.

Travailler à *Kopeckochka* consiste à s'asseoir dans le hall, près de la porte coulissante, et à tendre la main vers les clients qui entrent ou sortent avec leurs courses. Le chaud et le glacial alternent au rythme de la porte. Je me colle contre Gloria et j'essaie de deviner, à l'allure de chaque personne, celle qui s'arrêtera pour nous glisser une pièce. La plupart passent sans nous voir, comme si nous n'existions pas. Parfois, quelqu'un ouvre son porte-monnaie et se penche.

— Merci, dit Gloria. Que Dieu vous bénisse !

Je la regarde de travers, interloqué. D'habitude, quand Gloria parle de Dieu, c'est en poussant un juron, ou bien pour dire qu'il n'existe pas, car sinon ça ferait longtemps qu'il aurait remis de l'ordre dans le Caucase, pas vrai ? Alors quoi ? Gloria mentirait-elle ?

— Tatata ! Je ne mens jamais, Monsieur Blaise. J'arrange un peu les choses de temps en temps, c'est tout.

Et elle ajoute, en me caressant les cheveux :

— Il faut bien inventer des histoires pour que la vie soit supportable…

La porte s'ouvre et se ferme. Les gens entrent et sortent. À force, je m'endors sur le gros genou de Gloria. Je ne sens plus ni le chaud ni le froid, juste son parfum de lessive et de thé que je pourrais reconnaître entre mille.

Elle me secoue quand le jour décline. Je m'étire et me frotte les yeux, je ne sais plus où je suis. Gloria me montre le tas de pièces qu'elle a amassées.

— Viens, dit-elle. À notre tour de faire nos courses !

Nous furetons entre les rayonnages de *Kopeckochka*. Farine, thé, sucre, riz noir. À la fin, toutes les pièces gagnées durant la journée de travail disparaissent dans la caisse du magasin, sauf une.

— Tenez, Monsieur Blaise, me souffle Gloria. Elle est à vous.

Je prends la pièce et j'embrasse la joue de Gloria.

Quand nous sortons de *Kopeckochka*, je remarque qu'il y a d'autres personnes assises par terre, qui tendent la main dans les courants d'air. Je m'approche d'un homme noir qui ressemble à Abdelmalik. Il grelotte et tient un chien en laisse. Je lui donne ma pièce.

Avant de reprendre le tramway, Gloria me promet une surprise. Nous traînons nos sacs dans les petites rues parallèles au boulevard, pendant que le vent me gèle les doigts et me fend les joues. En volutes fumantes, des odeurs de nourriture sortent des soupiraux au ras du sol et nous harcèlent les narines. J'ai tellement faim que la tête me tourne.

Gloria me désigne une grosse benne en métal qui trône contre une façade, à l'arrière d'un restaurant turc.

— Je suis trop grosse pour grimper, mais toi, Koumaïl, va voir !

Je pose mon sac et m'élance pour m'agripper au rebord.

— Sur le dessus ! me conseille Gloria. Fais le tri !

C'est incroyable, tout ce qu'il y a dans cette benne ! Je redescends avec un gros morceau de viande – du rond de gîte, si vous voulez mon avis — et des pâtisseries dégoulinantes de miel, que nous disposons dans un carton d'emballage qui traînait par là.

— Ils sont fous de jeter ça ! dis-je, la bouche noyée de salive.

Gloria me fait un clin d'œil.

— Le cuisinier du restaurant est un ami, on a un arrangement. Tu ne crois quand même pas que je te ferais fouiller les poubelles !

Ce soir-là, je donne rendez-vous à Emil et Baksa dans l'escalier. J'ouvre le carton. Nous nous barbouillons de miel sans un mot, avec le sentiment parfait du bonheur.

— La prochaine fois, soupire Emil, demande à ton ami cuistot de mettre des loukoums. J'adore les loukoums.

Je le lui promets, et nous rêvons pendant une heure à des gourmandises impossibles, débordantes de crème et fourrées de chocolat. C'est un très bon moment de ma vie, assis comme ça sur les marches, avec les doigts collants et mes amis qui sourient jusqu'aux oreilles ; un moment où chacun oublie la guerre et les tracas qui vont avec.

La nuit même, alors que je dors comme un ours repu, Gloria me tire des couvertures.

Son visage est livide : dans la cour, quelqu'un frappe sur la cloche comme une brute.

9

La chaise ! Le barda ! Nos affaires ! Vite !

L'Immeuble s'ébranle et retentit de bruits inhabituels. J'entends des *gling* et des *bong* sur les pavés de la cour : pris de panique, nos voisins balancent leurs choses par la fenêtre. Des pas précipités font trembler les escaliers. Mais personne ne crie, personne ne pleure.

Gloria soulève le sac en toile kaki et nous détalons vers la sortie du U, main dans la main, avec nos cœurs qui tambourinent et le samovar qui dépasse.

Il fait noir, on se bouscule sans se reconnaître, pareils aux vaches à l'entrée de l'abattoir où le vieux Max a perdu trois doigts. Enfin, je distingue Kouzma, Jalal et Nasir, nos guetteurs : ils protègent notre fuite en barrant la rue, munis de pelles et de marteaux. Au loin, il y a du raffut. Éclats de voix et bruits de bottes. « Ça y est, la milice ratisse le quartier ! » chuchote quelqu'un.

En l'espace d'un instant, l'Immeuble est vide, et nous voilà en flot désordonné, qui décampons vers les rives du fleuve Psezkaya. Gloria me broie les doigts. Elle déplace son embonpoint du mieux qu'elle peut ; moi, j'essaie de me faire léger, d'exister à peine.

Je ne vois pas Emil. Ni Baksa, ni Tasmin et Rebeka.

Quand nous arrivons au fleuve, il y a un pont. Des blocs de glace à la dérive reflètent la lumière de la lune. Nous nous mélangeons à d'autres fuyards chargés de paquets, de brouettes, de vieux matelas, et nous traversons.

— Tu verras comme c'est beau de l'autre côté, me souffle Gloria. Nous sommes libres, Koumaïl, et la terre est si vaste !

Je m'accroche à elle en songeant que Vassili a eu raison de l'appeler Gloria Bohème, car aucune milice, aucun fleuve, aucune peur ne peut retenir une personne comme Gloria. Et, si vous voulez mon avis, j'ai eu une sacrée chance de tomber sur elle le jour du Terrible Accident !

Plus tard, tandis que nous marchons depuis des heures et que l'aube dévoile une campagne pétrifiée, je lui demande si nous reviendrons dans l'Immeuble. Elle me dit que non.

— Ni à *Kopeckochka* ?

— Il y a de meilleurs magasins ailleurs, assure-t-elle.

— Et ton ami du restaurant turc ? Il va s'inquiéter si nous ne prenons plus ses cadeaux dans la benne !

— Il fera des cadeaux à quelqu'un d'autre, c'est tout.

Je regarde autour de moi : les vallons poudrés de givre, les sapins serrés, la route qui s'évanouit dans le lointain. Les fuyards se sont dispersés ; j'aperçois seulement quelques silhouettes fatiguées et une famille qui suit une charrette. J'ai froid et faim, comme d'habitude.

Je voudrais comprendre pourquoi la milice s'en prend à nous, pourquoi nous n'avons pas le droit de rester longtemps quelque part. J'ai souvent interrogé Gloria à ce sujet, mais elle répond toujours à côté. Le monde est plein de mystères, et c'est à prendre ou à laisser. La seule chose qui me rassure, c'est de savoir qu'un jour j'irai en France. Là-bas, m'a dit Gloria, il n'y a pas de guerre.

— Est-ce que tous les gens sont riches, en France ?

Gloria a la figure rouge sous son foulard. Quand elle parle, un nuage sort de sa bouche.

— Qu'est-ce que tu appelles « riche », Koumaïl ?

— Ben, je ne sais pas… Par exemple, est-ce que les gens donnent plusieurs pièces quand on tend la main ?

— Ils donnent des billets, affirme-t-elle.

— Oh, dis-je, très impressionné. OK !

Grâce aux leçons de Mme Hanska, je sais qu'un billet vaut généralement plus qu'une pièce. Je connais les noms des monnaies : franc, dinar, peso, dollar, couronne, rouble, cruzado, zloty, lev, forint, yen… Je sais même qu'il existe un pays où l'on paie en sucre, ce qui est curieux, n'est-ce pas ?

— J'ai promis à Emil de lui trouver des loukoums, dis-je en reniflant à cause du froid.

Gloria me sourit et ne dit plus rien. Au bout d'un moment, quand il gèle trop, ça fait mal aux lèvres de parler. Il faut penser en silence à des choses agréables, et, si tu as mal aux pieds, fais comme si ce n'étaient pas tes pieds. Ignore-les. Dis-toi que ce sont ceux d'un autre. Les pieds d'un autre ne peuvent pas te faire mal, OK ?

10

Notre nouveau refuge s'appelle Souma-Soula. C'est un immense village près des montagnes, fabriqué avec du matériel de récupération : briques, planches, tôles, plastique. Tout y est de travers, mais chacun peut se débrouiller pour avoir sa place et Gloria dit que nous y serons comme des coqs en pâte. Je ne veux pas la contredire, mais je pense quand même que Souma-Soula n'est pas aussi bien que notre Immeuble.

— Allons, Monsieur Blaise, se moque-t-elle, ne me fatiguez pas avec vos manières de Français et aidez-moi à clouer ce toit !

Nous avons fait la connaissance de la famille Betov, celle qui marchait sur la route avec la charrette. Il y a le père, la mère, la grand-mère et les cinq enfants. Ce sont nos nouveaux voisins. Ils nous ont prêté un marteau, des clous, et leur fils aîné, Stambek, nous a aidés à transporter ce qu'il faut pour construire une cabane. Maintenant c'est à nous de jouer.

J'apprends à mélanger la terre, la paille et les cailloux pour remplir les creux entre les bouts de bois. Je creuse et j'aplatis, je plante et je soulève. Gloria fait des merveilles avec ses mains, grâce à tout ce qu'elle a appris autrefois, chez Vassili : une fenêtre tendue de plastique, une porte qui ferme avec un loquet.

Elle m'explique que le toit en tôle doit être en pente, sans quoi la neige s'entassera dessus et tout s'écroulera.

Pour finir, elle m'indique un coin derrière le mur où je dois creuser un trou.

— Il servira à quoi ?

— Eh bien… ce sera pour nos petites affaires ! répond-elle avec un clin d'œil.

— Ah… OK !

Ça me fait drôle de creuser moi-même nos toilettes ! Dans l'Immeuble, nous partagions les cabinets avec les locataires de l'étage, tandis qu'ici nous aurons notre coin privé : Gloria dit qu'on s'embourgeoise. Je ne comprends pas ce mot, mais elle rit tellement que je ris avec elle, comme ça, au bord de notre futur trou à merde.

Stambek a presque quinze ans. Il me dépasse de deux têtes et ses épaules sont larges comme celles d'un homme. Il me fait penser à Abdelmalik, mais en blanc. Lui et moi, on s'aime bien et on se complète : je parle, il écoute.

M. Betov, son père, lui donne souvent des tapes sur la tête. Après quoi, il fait « chut ! » et dit :

— Écoutez comme ça résonne là-dedans !

Je tends l'oreille et Stambek aussi, immobile, les yeux plissés, mais nous n'entendons rien. M. Betov pousse un soupir et s'en va en maugréant :

— C'est pas grave ! Ce qui compte, ici, c'est d'avoir deux bras.

Stambek sourit et remonte ses manches : ses bras sont musclés, poilus et parcourus de veines qui me font penser aux fleuves dessinés dans mon atlas. Il me fait signe de retrousser mes manches. Je grimace. Mes bras sont fins comme des brindilles à côté des siens.

N'empêche, M. Betov a raison. Ici, à Souma-Soula, tout le monde travaille avec ses bras, même les enfants. C'est comme ça si vous voulez gagner votre pain.

À peine le toit de la cabane cloué, Gloria et moi nous nous présentons à l'embauche. Cette fois, il ne s'agit pas de s'asseoir et de tendre la main comme à *Kopeckochka*, oh que non ! Le chef de l'embauche, que nous appelons tout simplement « Chef », nous désigne un gigantesque tas grisâtre qui fait des creux et des bosses sur des kilomètres. Une sorte de montagne sur laquelle rien ne pousse. Dessus, j'aperçois des groupes de personnes accroupies.

— Vous creusez la décharge, explique Chef. Je vous prête l'outil, et vous me le rapportez tous les soirs. Si vous le perdez, ou si on vous le vole, vous remboursez. C'est clair ?

— Qu'est-ce qu'on doit chercher ? demande Gloria.

— Ça ! répond Chef en sortant de sa poche un petit cylindre en métal surmonté d'un fil.

Il nous le met dans les mains pour qu'on puisse voir à quoi ça ressemble.

— Un culot d'ampoule ? s'étonne Gloria.

— Oui, M'dame ! Mais ce qui nous intéresse, c'est le fil en nickel. Vous creusez, vous trouvez les culots, vous récupérez le fil. À la fin de la journée, on vous paie le nickel au poids, c'est clair ?

Je me dépêche d'opiner, car la liste des éléments que Mme Hanska nous faisait répéter me revient par bribes : néon, neptunium, nickel… Je suis bien content de pouvoir utiliser mes connaissances.

Nous voilà, Gloria et moi, escaladant la montagne avec nos outils qui ressemblent à des grappins. Chef nous a attribué une parcelle à partager avec la famille Betov. Même la grand-mère, avec ses jambes mal en point, est au travail.

— Faites gaffe, nous avertit M. Betov, on marche sur du verre pilé, ici. Ça vous rentre sous la peau si vous faites pas gaffe.

Je m'accroupis près de Stambek. Il creuse à une cadence incroyable, triant les culots et les fils de nickel comme s'il avait fait ça toute sa vie.

À la fin de la journée, je me sens si fatigué que je ne compte même pas les pièces que Chef me donne. Je marche comme un automate jusqu'à notre cabane et je m'endors, sans manger, sans même une tasse de thé, la joue sur ma couverture en peau de mouton.

Je rêve des cinq frères de Gloria Bohème. Je vois leurs figures salies par la guerre. Les épaules ensanglantées de Fotia et d'Oleg. Les lunettes cassées d'Anatoli. Et les cheveux si frisés d'Iefrem, raidis par la boue. Et Dobromir, à cheval sur un canon, avec son sourire d'ange invincible.

Au milieu de la nuit, je suis réveillé par Gloria qui tousse. Le chien aboie et gronde dans sa poitrine ; je me bouche les oreilles pour ne plus entendre ce bruit affreux.

11

Au bout de quelques semaines sur la montagne de verre, je suis un expert pour récupérer le nickel. Mon grappin déblaie, mes doigts saisissent les culots, *tchac,* je détache le fil : je double mon salaire des premiers jours et nous pouvons acheter davantage de nourriture à la petite épicerie de Souma-Soula. Je suis fier de moi, mais Gloria m'inquiète. Elle tousse de plus en plus et M. Betov dit que c'est à cause de la poussière.

— Cette cochonnerie, ça vous tapisse la gorge jusqu'au tréfonds ! dit-il. Faut faire drôlement gaffe !

— Tatata, halète Gloria, c'est juste une bronchite, ça passera. N'oublie pas, Koumaïl, que je suis solide comme les arbres !

Au travail, quand je m'accroupis près de Stambek, je lui parle de tout et de rien. Je lui raconte l'histoire d'Abdelmalik et de Sergueï. De Vassili et de ZemZem.

Je lui explique la promesse que j'ai faite à Emil de lui rapporter des loukoums. Je lui apprends les morceaux du bœuf et l'échelle de dureté des minéraux, mais Stambek a la tête comme une passoire. Il a beau répéter ce que je dis, ça ne s'imprime pas. Je le console :

– C'est pas grave. Comme ça, je peux te raconter tous les jours la même chose, et tu ne t'ennuies jamais, hein ?

Stambek rigole et nous progressons gaiement dans les entrailles coupantes de la montagne. C'est un bon camarade. Dommage que je sois trop fatigué le soir pour jouer avec lui... La pure vérité, c'est que je regrette le temps où je cavalais dans les escaliers avec Baksa, Emil et les autres. Mais voilà, la vie passe et il faut être grand.

Un jour, je suis témoin d'un accident causé par un chauffeur de camion ivre. Ça se déroule à l'endroit où nous déchargeons nos sacs de nickel, au moment où tout le monde fait la queue pour la pesée. Le camion démarre brusquement avec son chargement, mais, au lieu d'avancer, il recule. Les gens crient, se bousculent... Trop tard. Une petite fille est écrasée sous les roues.

Sa mère se jette par terre et tire sur le corps de sa fille en hurlant d'une façon qui me dresse les cheveux sur la tête. Le chauffeur descend de sa cabine en titubant. Il met la main sur sa bouche quand il comprend ce qu'il vient de faire. Ses yeux sont exorbités. La mère hurle et la foule regarde le chauffeur. Il s'enfuit en courant, comme un fou, loin de son camion et du cadavre.

Quand Chef arrive, il voit le désastre. Les gens aident la mère à transporter sa fille morte vers sa cabane, et le silence tombe. Seul le moteur du camion tourne dans le vide, absurde. Alors, Chef se met au volant et conduit lui-même jusqu'à l'usine de traitement, de l'autre côté de la montagne de verre.

Toute la nuit, je repense à ce qui s'est passé, et je réfléchis, dans le noir, pendant que Gloria tousse à s'en décrocher les poumons.

Le lendemain matin, quand je viens voir Chef pour reprendre mon grappin, je lui demande si le chauffeur ivre est revenu. Chef secoue la tête :

— S'il remet les pieds à Souma-Soula, les gens le tueront.

— Je connais quelqu'un pour le remplacer, dis-je. Quelqu'un qui ne boit jamais d'alcool. Juste du thé, Chef !

— Quelqu'un qui sait conduire les camions ? demande-t-il, méfiant.

— Sûr, Chef ! Elle sait même réparer les moteurs, graisser les pistons et se noircir les bras jusqu'aux coudes !

À partir de ce jour, Gloria abandonne son poste sur la montagne. Au volant du camion, elle cahote sur la route pleine de trous entre la décharge et l'usine. Elle est contente, et moi aussi. Quand je la vois passer non loin de la parcelle où je trie avec la famille Betov, je me redresse en agitant les bras dans sa direction. Stambek m'imite, et nous crions : « Ouhouh ! » Gloria klaxonne trois coups en faisant clignoter ses phares. Tous les ramasseurs de nickel sursautent et Stambek rigole comme une baleine, jusqu'à ce que son père lui envoie des claques sur la tête. Alors nous nous calmons et le travail reprend, toujours pareil. Ce qui compte, c'est que maintenant, la nuit, Gloria tousse moins.

Stambek a quatre sœurs. La plus jeune n'a que six ans et la plus grande en a treize. Au milieu, il y a les jumelles Suki et Maya, mes préférées. Pour les différencier, Mme Betov m'a donné une astuce : Suki a un grain de beauté près de la bouche, alors que celui de Maya est posé entre ses sourcils, comme un point entre deux phrases. J'ai beau les regarder très souvent, je n'arrive pas à décider laquelle des deux est la plus jolie. Et, si par malheur l'une d'elles m'adresse la parole, c'est terrible : je bafouille, je m'embrouille, je deviens bête à manger du foin. Exactement comme Gloria quand ZemZem lui a donné sa gourde et qu'elle n'arrivait plus à dire un traître mot.

Même Stambek a compris que ses sœurs me donnent des palpitations. Chaque fois que mes yeux se posent sur elles, il avance les lèvres et mime des baisers. *Pouak, pouak !*

Je lui dis :

— Arrête ! C'est dégoûtant !

Son visage s'affaisse :

— Ah bon ? C'est dégoûtant ?

— Oui !

Mais, comme d'habitude, il oublie, et il recommence ses mimiques, jusqu'à ce que mes joues soient plus brûlantes que les morceaux de charbon sous le samovar.

Le soir, dans notre cabane, je rêve, et Gloria n'est pas dupe. Elle me demande :

— Qu'est-ce qui te fait soupirer comme ça, Koumaïl ?

— Rien, rien...

— C'est bien ce que je pensais... Tu es amoureux.

Je grogne et Gloria rigole toute seule en préparant les galettes de blé.

— Ce n'est pas honteux d'être amoureux ! dit-elle. C'est sans doute la plus belle chose du monde, tu sais. À l'époque où je marchais avec ZemZem le long de la voie ferrée, j'étais heureuse comme jamais...

Elle soupire bruyamment et se met à rêver aussi, les yeux perdus à travers le plastique de la fenêtre. Au bout d'un long moment, je sursaute :

— Ça sent le cramé ou quoi ?

— Nom de Dieu ! dit Gloria en récupérant les galettes noircies.

Je grimace :

— C'est du charbon, maintenant !

— Tatata ! Elles sont bien cuites, c'est tout !

Je viens m'asseoir par terre, sur la bâche qu'on a récupérée et qui nous sert de tapis. On se sourit en croquant notre dîner brûlé ; parfois, j'ai l'impression que mon cœur est directement relié à celui de Gloria.

— Même si je suis amoureux, dis-je, je t'aimerai toujours, hein ?

— Bien sûr, Monsieur Blaise ! Et n'oubliez pas votre vraie mère ! Il faut penser à elle, aussi !

Je hoche la tête pour lui faire plaisir.

Malgré mes efforts pour imaginer la silhouette frêle et le visage pâle de Jeanne Fortune, je n'arrive pas à voir ma mère autrement que grande, brune, avec des joues rouges et de l'embonpoint.

12

Un jour de printemps, Stambek et moi nous nous présentons à l'embauche, mais Chef refuse de nous donner nos grappins : il dit que personne ne travaille aujourd'hui, c'est la religion qui veut ça, allez, ouste !

Tandis que nous retournons vers nos cabanes, je bougonne :

— D'accord pour la religion, d'accord pour le jour de repos, mais qu'est-ce qu'on va manger ce soir ?

C'est alors que Stambek a l'idée de m'emmener voir un coin qu'il a trouvé en se promenant au hasard. Quand Stambek a une idée, il ne faut surtout pas la laisser filer ! Je décide de le suivre, et c'est comme ça que je découvre le lac.

Il est situé à une heure de marche des quartiers de tôle, dans un endroit sauvage où le vent s'engouffre. Stambek m'explique qu'il est arrivé là sans le vouloir, en suivant des gens qui transportaient des cannes à pêche. En effet, les berges du lac sont encombrées de pêcheurs.

— Ce soir, poisson ! s'exclame mon ami.

Nous n'avons pas de canne à pêche, mais nous sommes bricoleurs, et, avec la variété d'ordures qui traînent par ici, le matériel ne manque pas. Une vieille antenne de radio, un filin en plastique, un clou rouillé : nous voilà équipés.

Nous progressons sur les berges molles, avec nos chaussures qui s'enfoncent dans la vase. Sur la rive opposée, on aperçoit des bâtiments en béton à demi effondrés. D'après Stambek, ce sont les ruines de l'ancienne fabrique d'ampoules. J'essaie de me représenter l'époque où les milliers d'ampoules étaient neuves, intactes, avec leurs fils de nickel incandescents, mais c'est peine perdue. Cette époque-là est révolue, au même titre que le verger de Vassili, ma vie de bébé entre les bras de ma mère, ou la paix dans le Caucase.

Je cherche des asticots dans la vase et Stambek les enfonce sur le clou. Nous les regardons se tordre, puis nous lançons nos lignes dans le lac. Ensuite, nous attendons en silence, immobiles, que les poissons mordent.

Pêcher, c'est un peu comme tendre la main dans le hall de *Kopeckochka* : ça dure longtemps et on est souvent déçu. Si le vent n'était pas si fort, je m'endormirais.

Au bout d'un moment, pourtant, le fil remue et se

tend d'un coup. Nous sursautons. Stambek se lève. Il tire de toutes ses forces :

— Un gros ! Un gros ! s'écrie-t-il en voyant émerger un dos argenté et des nageoires. Vite, Koumaïl !

Je me précipite à la rescousse. Je me penche pour attraper le fil, et brusquement je dérape sur la berge glissante. Je bascule dans les eaux glacées du lac ! Je coule ! Je bois la tasse ! *Ossecourédémoi !*

Stambek lâche tout et me repêche, pauvre chose trempée, aux lèvres bleues, aux oreilles douloureuses. Son gros poisson a disparu en emportant l'antenne de radio, le filin et le clou : je suis sa seule prise.

J'expulse l'eau puante de mes poumons, je vomis, et Stambek me rapatrie d'urgence.

De retour à la cabane, je claque si fort des dents que Gloria croit entendre des castagnettes espagnoles. Elle pousse un juron et me déshabille. Mes vêtements sont raidis par le froid ; on dirait du carton.

— Nom de Dieu, Koumaïl ! rouspète-t-elle. Quelle idée de se baigner par un temps pareil ?

Elle me frictionne à m'en arracher la peau, mais je tremble toujours et je suis incapable de prononcer le moindre mot. Mes pensées ont gelé dans ma tête.

Stambek et M. Betov reviennent, les bras chargés de couvertures. Ils me transportent vers le coin de la pièce où Gloria a aménagé un foyer, m'enfouissent sous plusieurs épaisseurs et amorcent une flambée. Stambek bredouille des excuses, tandis que son père lui flanque des claques sur le crâne en répétant, furieux :

— Décidément, y a rien, là-dedans ! Rien que du vent !

Je sombre dans un sommeil si lourd que j'ai l'impression de m'enfoncer jusqu'au centre de la terre.

13

Je suis malade. Incapable de me lever, incapable de quoi que ce soit.

Gloria ne peut pas cesser le travail, sans quoi nous n'aurons plus d'argent du tout. Aussi, M. Betov demande à Suki et Maya de se relayer auprès de moi pendant qu'elle conduit son camion. Il dit :

— Notre famille est grande, et la vôtre, petite. Je peux bien prêter mes filles pendant quelques jours !

Ma maladie dure exactement six jours.

À tour de rôle, les jumelles restent à mon chevet. Elles font brûler des herbes qui embaument, tamponnent mon front fiévreux avec un linge humide, et passent leurs mains fraîches sous ma nuque pour m'aider à m'asseoir. Elles me font boire du thé. Des litres ! Avec du miel et des décoctions.

J'essaie de me rappeler les noms des plantes médicinales que la vieille Lin nous apprenait à l'époque de l'université des pauvres. Dans le brouillard de ma fièvre, je récite : « La poudre de Sumah, excellent tonifiant… L'eucalyptus globuleux qui soigne la sinusite… L'huile essentielle de cannelle qui calme la toux et les fièvres… Le camphre pour les frictions… »

Suki prend mon pouls. Ses doigts sont des pattes d'oiseau, légers et fragiles. Je lui raconte n'importe quoi, et, lorsqu'elle rit, je vois son grain de beauté disparaître dans le creux d'une fossette.

Maya chante des chansons. Sa voix me berce et je m'endors sans tousser, englouti par un flot de douceur. Quand je me réveille, je devine son visage près de moi, avec le grain de beauté qui ponctue les phrases de ses sourcils. Je lui demande ce qui est écrit, là. Elle louche un peu et répond en riant :

— Suki a raison ! Tu dis vraiment n'importe quoi, Koumaïl !

Contrairement à Stambek, Maya et Suki n'ont pas de vent dans la tête. Elles me racontent comment était leur vie avant la guerre, dans une grande maison en briques, loin de Souma-Soula. Un jour, un obus est tombé et la maison s'est effondrée. Stambek est resté sous les décombres pendant trois jours et trois nuits, si bien que tout le monde le croyait mort.

— Mais, quand les sauveteurs l'ont sorti, il était entier ! sourit Maya. On n'a pas vu tout de suite que son intelligence était restée sous la maison…

— Peut-être qu'un jour on la retrouvera ? soupire Suki. La guerre a pris beaucoup de choses à beaucoup de gens.

Grelottant sous mes couvertures, je dis :

— Pourtant… si votre maison ne s'était pas effondrée, si le train n'avait pas déraillé, si la milice n'avait pas pris le verger de Vassili, et si elle ne nous avait pas chassés de l'autre côté du fleuve Psezkaya… je ne serais pas tombé dans le lac, pas vrai ?

— Et alors ? me demande Suki, perplexe.

Je rougis et je ferme les yeux. La guerre est mauvaise, c'est entendu. Elle a pris beaucoup de choses à beaucoup de gens. Mais elle m'a aussi donné Gloria et ma première histoire d'amour… Comment expliquer une chose aussi bizarre ?

Quand Gloria revient du travail, avec sur la figure une couche de poussière qui lui donne un air de famille avec Abdelmalik, je lui demande si c'est permis d'être heureux par temps de guerre.

Elle me regarde avec gravité et essuie ses joues crasseuses avant de répondre :

— Être heureux est recommandé par tous les temps, Monsieur Blaise !

14

Hélas, comme vous le savez sans doute, les meilleurs moments ont une fin. Je suis bien obligé de guérir et de retourner travailler sur la montagne. Désormais, j'ai l'interdiction de suivre Stambek dans ses promenades, et lui-même n'a plus le droit d'aller au lac, mais Suki et Maya continuent de venir chez nous, le soir.

Maintenant que nous avons pris l'habitude de travailler dur, nous sommes moins fatigués. Nous nous asseyons sur la bâche et nous jouons avec des cartes que j'ai fabriquées en découpant du carton. Je leur apprends les règles du poker, du bridge et du black jack telles que Kouzma me les a enseignées, c'est-à-dire en trichant. Suki s'amuse beaucoup et Maya s'énerve parce qu'elle n'aime pas perdre. Quand nous avons besoin d'un quatrième joueur, nous appelons Stambek.

— C'est très simple, je dis. Tu as cinq cartes. Si deux ont la même valeur, tu as une paire. Trois, c'est un brelan. Si toutes tes cartes ont la même couleur, c'est un flush…

Stambek se concentre et transpire. Ses lèvres tremblent. C'est tellement triste de le voir comme ça, avec sa cervelle trouée ! Je me promets qu'un jour je prendrai mon grappin et, au lieu de chercher des fils de nickel, je fouillerai les ruines pour récupérer l'intelligence de Stambek.

— Bon, j'ai sommeil, dit brusquement Maya.

— Oui, je tombe de fatigue ! ajoute Suki.

Nous rangeons vite les cartes et Stambek est soulagé de rentrer chez lui. Avant de partir, les jumelles posent un baiser sur ma joue. Mon cœur s'embrase plus vite que de la paille sèche. Mais, dès qu'elles ont franchi le seuil, le feu s'éteint, et une sensation de vide me creuse le ventre. L'amour est une sorte de maladie qui vous donne chaud et froid ; la pure vérité, c'est que je ne suis pas sûr d'y survivre.

De plus en plus de soldats estropiés débarquent à Souma-Soula. Ils ont perdu un œil, une jambe, un bras. Certains ont perdu la raison et vagabondent de-ci de-là en braillant comme des ânes. C'est tout ce que nous voyons de la guerre. M. Betov dit que « le théâtre des opérations » est loin d'ici, plus au nord, et que nous sommes des réfugiés. J'aime bien ce mot : « réfugiés ». Il signifie sans doute que nous sommes à l'abri, et cela me rassure.

Dans mon esprit, la guerre ressemble à une bête affamée et féroce, tapie dans les creux des montagnes et des grandes forêts sombres qui s'étalent sur la carte, page 79 de l'atlas vert. Je pose mon doigt sur les routes qui serpentent, me figurant la progression inéluctable des armées qui se cherchent. Les obus s'écrasent et éventrent les villages. La guerre chasse les familles, mange les pâturages, avale les colonnes de soldats ; elle est si vorace.

Parfois, je pense à ZemZem et aux frères de Gloria Bohème qui, peut-être, ont été dévorés par cette bête goulue. Je n'ose pas demander à Gloria ce qu'elle en pense car j'ai trop peur de la rendre triste. Je dis seulement :

— Et si la guerre arrive jusqu'à Souma-Soula ? Qu'est-ce qu'on fera ?

— Ce que nous avons toujours fait, Koumaïl : marcher droit devant vers d'autres horizons.

— OK, mais… avec la famille Betov, hein ?

— Qui sait ? Il y a beaucoup de chemins où se perdre. Surtout dans le Caucase !

Je me replonge dans la contemplation des cartes et je vois les pointillés des frontières qui s'emmêlent d'une vallée à l'autre. Je vois la Géorgie, l'Abkhazie, l'Arménie, la Tchétchénie, l'Ossétie du Nord et l'Ossétie du Sud, l'Ingouchie, le Daghestan…

Gloria secoue la tête.

— Trop de pays ! dit-elle. Trop de peuples ! Les frontières bougent et les noms changent sans cesse… À la fin, tout ce qui reste, ce sont des ruines et des gens malheureux. Inutile de chercher à comprendre le Caucase, Monsieur Blaise. Laissez-le où il est. Ce ne sont pas vos affaires de petit Français, OK ?

— OK.

Je tourne les pages et mes doigts glissent vers l'ouest, selon des tracés sinueux, et j'atterris en France, comme d'habitude. Là-bas, il n'y a ni guerre ni milice, et les choses sont plus simples grâce à la République.

— Ce qui serait bien, dis-je, c'est qu'on aille tous là-bas. Même Vassili, ZemZem, tes frères, Emil et Baksa ! Et aussi mon père si on peut le retrouver ! On ferait une surprise à ma mère. On organiserait une belle fête de retrouvailles !

Je m'exalte : on pourrait même aller plus loin, page 17, jusqu'en Angleterre ! Gloria se penche au-dessus de mon épaule pour étudier le chemin avec moi. Nous enjambons les reliefs, les pointillés, les fleuves, et, quand mon index arrive en France, tout en haut, là où il y a une ville nommée Calais, j'explique :

— On prendra le bateau, parce que je ne vois pas de pont.

— Bientôt, il y aura un tunnel, me dit Gloria. Ça fait longtemps que les ingénieurs cherchent le meilleur moyen de le creuser.

— Un tunnel sous la mer ?

Gloria confirme :

— Exactement ! Un tunnel avec un train dedans.

Je reste muet devant cette idée fantaisiste, le doigt posé sur cette partie du monde où des gens sérieux creusent sous l'eau. Ça me plaît terriblement, et je déclare, solennel, que je prendrai un billet pour le premier train qui traversera le tunnel sous la Manche.

— OK ?

Gloria ne décourage jamais mes rêves. Elle me dit que oui, sans doute, j'ai mes chances, mais qu'avant ça il faut dormir, car il est tard. Je lui demande de me raconter mon histoire, comme d'habitude, avec tous les détails. Dans mon demi-sommeil, les trains se mélangent et je vois l'express en flammes qui fend les vagues en bousculant les poissons interloqués.

15

L'hiver revient à Souma-Soula, et la rumeur court
de cabane en cabane qu'une malédiction frappe les habitants du quartier du lac. Il paraît que plusieurs femmes
ont mis au monde des enfants-monstres.

— Le premier n'avait pas de tête ! me rapporte Suki.

— Le second en avait deux ! grimace Maya.

— Qui vous a dit ça ?

— C'est Chef ! Il les a vus !

Après enquête, il s'avère que Chef n'a rien vu, mais
qu'il connaît un vieux Russe dont la belle-sœur a accou-
ché d'un têtard avec trois bras.

— Pouah ! s'écrient les filles. Un têtard ! Trois bras !

Les adultes refusent de nous croire, jusqu'à ce que
Gloria croise un convoi spécial sur la route qui mène
à l'usine :

— Des hommes en voitures blindées, me raconte-t-elle. Ils portaient des combinaisons, des lunettes, des masques sur la bouche…

— Comme des cosmonautes ?

— Exactement ! Et ils se dirigeaient droit vers le lac. Nom de Dieu, c'est du sérieux !

En un rien de temps, nous apprenons que la pêche est interdite et que l'accès aux berges est barré par un cordon sanitaire. Les hommes en combinaisons se sont installés sous des tentes. D'après ce que rapporte M. Betov, ce sont des scientifiques envoyés par le gouvernement pour analyser l'eau, la terre, et même les entrailles des poissons. Il est probable que le lac a été souillé par les rejets toxiques de l'ancienne usine d'ampoules. Cela expliquerait la naissance des enfants-monstres. Comment ? Ça, personne ne le sait ! Pourtant, la peur est là : plusieurs familles ont déjà quitté les quartiers de tôle, et d'autres commencent à plier bagage.

Du coup, M. Betov me regarde de travers, comme si j'étais moi-même sans tête ou qu'un troisième bras poussait dans mon dos. Je me sens soudain affreusement mal.

— Désolé, Koumaïl…, m'assène-t-il, mais tu es tombé dans cette eau empoisonnée. Faut faire gaffe avec ça. Tant que nous ne saurons pas ce qui se passe, Suki et Maya ne viendront plus chez toi. Et tu seras prié de travailler loin de nous, c'est compris ?

Cette mise à l'écart est la pire chose qui me soit arrivée. Je pleure longtemps entre les bras de Gloria, criant que c'est injuste, que je ne suis plus malade et que, si je n'étais pas tombé dans le lac, justement, nous aurions mangé du poisson, et alors ça nous aurait vraiment contaminés !

Trop tard, le mal est fait.

Suki et Maya m'évitent. Elles baissent la tête et marchent vite lorsqu'elles m'aperçoivent. Quant à Stambek, il affiche une mine d'enterrement, mais il obéit aussi.

Sur la montagne de verre, je n'ai plus ma place. Je suis une âme en peine, seul avec mon grappin et mon chagrin. Pour me consoler, je fouille dans les ordures à la recherche de cordes pour le violon d'Oleg et de piles pas usées pour la radio de Fotia. Je finis par trouver ce qu'il faut, et le soir, à la place de nos parties de cartes, je répare les choses précieuses. Au bout du compte, le violon émet quelques grincements sinistres et la radio crachote.

— C'est mieux que rien ! m'encourage Gloria.

Mais je vois bien qu'elle se force à sourire.

Les familles s'en vont, de plus en plus nombreuses, et des recruteurs de l'armée s'abattent sur nous comme la grêle sur les récoltes. Ils viennent chercher des volontaires pour les envoyer au front. Un jour, je vois Chef partir avec d'autres hommes, dans un camion militaire. Il me fait un signe, les doigts en V, et je reste seul dans les bourrasques de l'automne tandis qu'il s'éloigne.

Je traîne le long des rues, dans une atmosphère glacée de désastre, pendant que Gloria s'échine à conduire son camion à moitié rempli. Aussi longtemps que possible, elle conduira, car chaque pièce gagnée, assure-t-elle, est un pas vers l'avenir.

— Quel avenir ? je soupire.

— Allons, Koumaïl, pas de mélancolie ! Tu es beaucoup trop jeune pour dire des choses pareilles !

Mais, un matin, je découvre que la cabane des Betov est vide. Plus rien. Plus une casserole, plus une couverture... Ils sont partis sans même nous dire adieu.

Je suis debout dans la pièce désertée, la gorge si serrée que j'ai peur de mourir asphyxié.

Quand je me retourne, je vois une de mes cartes à jouer punaisée sur la porte. Je la détache. C'est l'as de cœur : le seul mot d'amour que Suki et Maya ont eu le temps de me laisser.

16

Voilà : j'ai dix ans, le cœur pulvérisé, les pieds en sang, l'estomac creux, et une fois de plus je pars vers l'inconnu avec Gloria et notre barda, sur des routes interminables. Nous sommes désormais des réfugiés sans refuge, et je crois bien que j'ai attrapé un désespoir.

— Tatata ! dit Gloria. Si je t'inspecte, Koumaïl, je suis certaine de ne trouver aucun parasite !

Je hausse les épaules.

— Te fatigue pas, va. J'ai grandi. Je sais que ça n'a rien à voir avec les poux.

Gloria s'arrête soudain de marcher, me regarde de travers, jette le barda par terre et l'ouvre. Nous nous trouvons au milieu d'un champ de neige, sous un ciel écrasant où tournoient des corbeaux. Que fait-elle ? Elle imagine peut-être que j'ai envie de camper ici ?

— C'est vrai que tu as beaucoup grandi, Koumaïl, dit-elle en plongeant la tête dans la gueule ouverte du barda. Il est donc temps que je te confie mon remède secret.

Je soupire. La neige mouille mon pantalon jusqu'aux genoux et j'ai mal partout. Nous marchons depuis un million de kilomètres, au moins. Depuis Souma-Soula, qui a été définitivement évacué sur ordre des scientifiques, et classé « zone dangereuse » : allez, ouste ! Que va-t-elle trouver pour me consoler, hein ? Va-t-elle sortir de son sac Suki, Maya et Stambek, comme une magicienne ?

— Ah, voilà ! sourit-elle en exhibant sa vieille boîte à biscuits.

Elle ôte ses gants et, pour la première fois, elle l'ouvre devant moi. Malgré ma mauvaise humeur, la curiosité m'oblige à m'approcher.

— Je savais qu'un jour nous en aurions besoin, dit Gloria. Ce jour est arrivé.

Au début, je ne vois rien d'autre qu'un tas de papiers. Puis Gloria les déplie et j'arrondis les yeux quand je comprends de quoi il s'agit : une grosse liasse de billets, des dollars américains. Et, roulés dedans, deux petits carnets portant l'inscription universelle *Passeport*. À l'intérieur, il y a des lignes d'écriture dans un alphabet que je ne peux pas déchiffrer, mais Gloria m'explique :

— Ce passeport-là est à ton nom : Blaise Fortune. Quant au second, c'est celui de ta mère : Jeanne Fortune.

Il n'y manque que les photos, mais nous en ferons faire des neuves avant d'embarquer.

— Embarquer ? Mais...

J'ai beau avoir grandi, je ne suis pas sûr de comprendre ; Gloria rit en voyant ma tête.

— Le seul remède valable contre le désespoir, Koumaïl, c'est l'espoir ! Voilà ce qu'il y a dans ma boîte : de l'espoir !

Elle referme le couvercle, contente d'elle.

— On va se servir des passeports ? dis-je, incrédule.

— Exactement !

— Mais... tu vas prendre la place de ma mère, alors ?

— Oui, sourit Gloria. Et toi, enfin, tu seras officiellement Monsieur Blaise.

Je n'en reviens pas. Autour de nous, il n'y a que de la neige, du ciel, des corbeaux, une sorte de paysage flou et sans limites, où dollars et passeports ne sont d'aucune utilité. Je l'interroge :

— On va où ?

— En France ! répond gaiement Gloria en hissant de nouveau le barda sur son dos. Alors ? Tu viens ?

17

Le million de kilomètres suivant me paraît infiniment plus facile à franchir. Avoir une destination, c'est comme avoir des ailes ! Champs de neige, champs de cailloux, forêts nues où hululent des chouettes invisibles, je marche sans faiblir. Et, sans faiblir non plus, je mitraille Gloria de questions : la France, OK, mais où précisément ? Il y a tant de villes ! Et sur quel bateau embarquerons-nous ? Comment s'appellera-t-il ? Et, une fois là-bas, on fera quoi ? Et comment ça se fait qu'elle possède le passeport de ma mère, hein ?

Gloria me raconte que Jeanne le lui a donné, ainsi que le mien, quand elle était dans le wagon, avant de perdre connaissance. Je proteste :

— Tu ne me l'avais jamais dit !

— Eh bien, c'est fait maintenant.

— Et les photos ?

— J'avais peur, j'ai préféré les brûler.

Je fronce les sourcils :

— Et l'argent ?

— C'est ZemZem qui m'a donné la boîte. Il voulait que nous ayons une chance de partir, de franchir les contrôles et les frontières. Il ne suffit pas de s'appeler Bohème pour quitter une région en guerre, tu comprends ?

— Alors, c'était ça, son cadeau ? Une boîte et des dollars ?

— Seulement une partie du cadeau, avoue Gloria. Le reste, je te le dirai peut-être... Plus tard.

Je suis à la fois troublé et vexé que Gloria ne m'ait jamais parlé des passeports. Si ça se trouve, elle ne m'a pas dit la pure vérité sur le Terrible Accident et sur ma mère... Mais bon, je suis obligé de lui faire confiance, pas vrai ?

Nous traversons des villages aux rues boueuses et bordées de poteaux où les câbles du téléphone, arrachés, se balancent dans le vent, comme des pendus. Des prés inondés. Des routes qui ne vont nulle part, et de vastes espaces où rien ne pousse.

Les gens que nous croisons ont des chiens efflanqués et des visages hostiles. Ils verrouillent leurs portes lorsqu'ils nous aperçoivent. Savent-ils que nous venons de la « zone dangereuse » de Souma-Soula ? Cela se voit-il sur notre figure ?

— Ne fais pas attention, me conseille Gloria. Passe comme si tu étais un fantôme.

Je m'efforce d'imaginer que je ne suis rien, un simple courant d'air... Mais les jours défilent péniblement, et je sens de nouveau le chagrin labourer ma poitrine, pire que si j'avais avalé un grappin.

De temps à autre, à bout de forces, nous sommes obligés de voler quelque chose à manger : un pain fumant sur le bord d'une fenêtre, de la viande séchée ou des cornichons qui trempent dans le vinaigre.

Nous croisons des camions bâchés, plus lents que des corbillards, qui remontent vers le nord avec leur cargaison de soldats pâles. Nul ne fait le signe de la victoire.

La nuit, nous dormons dans des granges, des églises, et même dans des poulaillers. Au matin, nous empestons la fiente et la paille pourrie.

— Courage, me répète Gloria. Nous arriverons bientôt.

Pourtant, je ne vois pas de port. Encore moins de bateau sur lequel embarquer. La France est un rêve lointain et inaccessible, d'autant que nous n'avons même plus de charbon pour faire bouillir l'eau dans le samovar.

Gloria me prend par la main. Elle me raconte :

— Bientôt, nous quitterons les montagnes, Koumaïl. Dans la vallée, tu verras un fleuve. Au bout du fleuve, il y a un estuaire qui débouche sur une grande mer, et une ville qui s'ouvre sur un port. L'air sera doux et tu verras des palmiers, Koumaïl. Là-bas, nous trouverons des gens pour nous aider. Je m'arrangerai, sois tranquille.

J'avance en imaginant cette ville improbable d'où nous embarquerons vers d'autres villes improbables. Mais une question me tarabuste :

— Au contrôle, ils verront bien que tu n'es pas française...

— Tatata ! Et pourquoi donc ?

— Tu ne sais même pas parler français...

— Et alors ? Vous non plus, Monsieur Blaise ! Pourtant, tu es français, oui ou non ?

Si je fais le compte de mon vocabulaire, je ne connais que deux mots dans la langue de mon pays d'origine : *OK*, et *ossecourédémoi*. L'argument de Gloria me laisse sans voix. Alors je fais le reste du chemin en silence, en essayant de croire que mes pieds sont ceux de quelqu'un d'autre.

Nous atteignons enfin le fleuve, puis l'estuaire, et le port de Soukhoumi. Au-delà des palmiers s'entrechoquent des bateaux de marchandises et des navires militaires hérissés de canons.

La nuit tombe sur des bâtiments en ruine. Il pleut. Les quais sont jonchés de détritus, mais aussi d'hommes, de femmes et d'enfants qui n'ont nulle part où aller et qui dorment çà et là, en s'abritant sous des toiles. Je suis tellement épuisé que je suis prêt à dormir sous la pluie, avec les chiens et les ordures.

— Tatata, me dit Gloria. Il y a mieux pour nous, ce soir ! Viens.

Elle m'entraîne dans des arrière-cours et de petites rues qui sentent mauvais, jusqu'à l'entrée d'un bar, le *Matachine*.

La salle est obscure, avec des tables bancales et des fumeurs de cigare qui nous dévisagent. Gloria me pousse vers une banquette et me demande de l'attendre là, c'est compris ?

Je me roule en boule, la tête calée contre l'accoudoir poisseux, tandis qu'elle s'approche du comptoir. Je n'entends pas ce qu'elle dit à l'homme qui décapsule les bières. Ils parlent longtemps, longtemps... Je sombre dans un sommeil qui pourrait durer cent ans.

Quand Gloria me réveille, elle affiche un large sourire :

— Tout est arrangé, me dit-elle. Nous prendrons le bateau dans quelques jours. Pour le moment, nous allons nous installer là-haut.

Son doigt désigne le plafond du *Matachine*.

Nous montons par une échelle raide jusqu'à une trappe étroite, et Gloria râle à cause de son embonpoint. Finalement, nous posons notre barda dans une soupente du grenier : notre nouveau refuge.

C'est un endroit plein de poussière, encombré de caisses, mais il possède une lucarne qui s'ouvre sur le ciel. Gloria déplie deux lits de camping juste en dessous. De cette façon, me dit-elle, nous pourrons voir les étoiles et ce sera vraiment merveilleux.

Je m'allonge. Je regarde. Le carré de ciel est absolument noir.

— Sois patient, murmure Gloria. Il y a toujours des étoiles derrière les nuages. C'est une chose immuable. Ne t'endors pas, Koumaïl, surveille le ciel.

Des gouttes de pluie s'écrasent sur la vitre et Gloria tousse un peu. Je m'enroule dans la couverture de Dobromir, bien à l'abri, en m'efforçant de garder les yeux ouverts. J'essaie de me rappeler les noms d'étoiles que Mme Hanska piochait dans son livre usé. Bételgeuse, Aldébaran, Merak, Véga...

Soudain, une myriade de points lumineux traversent la nuit, derrière la lucarne. Je dis :

— Ça y est !

Mais Gloria ne répond pas. Elle dort.

Les points lumineux disparaissent et j'entends des

vrombissements de moteurs, puis des bruits sourds qui font trembler les murs du *Matachine*.

Ce ne sont pas des étoiles.

Je mets ma tête sous la couverture et je ferme les yeux. Au loin, une bombe explose dans le port de Soukhoumi.

18

Il est encore tôt et je ne sais pas où nous allons. Gloria m'entraîne dans les rues détruites, au milieu des chiens galeux et des gens qui tirent des carrioles. Elle m'explique qu'avant la guerre Soukhoumi était une belle ville. Une station balnéaire où les gens venaient en vacances pour profiter du soleil et des plages. L'été, sous les palmiers et les mandariniers en fleurs, tout le monde mangeait des glaces pieds nus dans des sandales, c'est la pure vérité. Mais maintenant Soukhoumi est laide, et, si quelqu'un marche pieds nus, c'est qu'il a perdu ses chaussures sous les décombres de sa maison. Il ne reste que des vestiges de la splendeur passée, de grands hôtels vides et des fontaines taries, des pontons rouillés sur le rivage ou des murs effondrés. J'essaie quand même d'imaginer cette vie magnifique d'autrefois, avant les bombes, avant les soldats et la peur. J'aimerais comprendre pourquoi ce temps est fini, mais je sais que c'est peine perdue. Gloria va encore me dire de laisser le Caucase là où il est, et que ce ne sont pas mes affaires de petit Français. De toute façon, nous devons nous dépêcher.

— Pourquoi tu ne me dis pas où on va ? C'est une surprise ?

Comme elle refuse toujours de me répondre, je me méfie :

— Bonne ou mauvaise ?

Gloria me tire par la main. Je saute par-dessus des flaques profondes qui trouent les avenues.

Enfin, nous voilà devant une grosse bâtisse. Des lettres en partie effacées couronnent la porte. Je lis : *BA... PU... LI...*

— Bapuli ?

Gloria m'envoie un clin d'œil.

— Viens !

Nous passons la porte et nous pénétrons dans un hall qui résonne. Plusieurs femmes accompagnées d'enfants font la queue devant un guichet tenu par une grosse dame aux yeux fatigués. Nous lui laissons quelques pièces avant de descendre un escalier qui s'enfonce sous terre.

— Je savais qu'on aurait de la chance, me dit Gloria. L'eau n'est pas encore coupée !

Une fois en bas, je suis brusquement suffoqué par la vapeur chaude et les effluves de savon parfumé.

Je comprends alors qu'avec toutes les lettres, *ba-pu-li* signifiait *BAINS PUBLICS*.

Gloria ôte ses chaussures et le reste, si bien que je vois son embonpoint jaillir. Oups ! Je reste sur le carrelage, immobile comme une statue.

— Nom de Dieu, Koumaïl, pas de manières ! rigole Gloria. Je t'ai vu traverser des épreuves plus difficiles !

Je pense à tout ce que j'ai vécu depuis le Terrible Accident, et je me dis qu'elle a raison. Un instant après, nus comme des vers, nous disparaissons dans le nuage délicieusement brûlant du hammam.

En sortant, nous sommes rouges comme des nouveau-nés. J'ai abandonné ma fatigue, ma peur et même un peu de mon chagrin dans les siphons des douches ; je me sens plus léger.

Les joues de Gloria ressemblent aux pommes du verger de Vassili, appétissantes et brillantes. Elle me peigne, boutonne ma chemise, et me contemple avec satisfaction.

— Te voilà propre comme un sou neuf ! Je suis sûre que tu plairas à Monsieur Ha.

Je n'ai jamais entendu parler de Monsieur Ha. Est-ce que c'est encore une surprise ? Et, d'abord, pourquoi devrais-je lui plaire ?

— Cesse de poser des questions et suis-moi, dit Gloria. Nous avons une chose très importante à régler avant le couvre-feu.

Je m'accroche à sa main et nous repartons en sens inverse, le long des rues.

Monsieur Ha est un Chinois qui nous attend au fond d'une gargote où d'autres Chinois mangent en silence des soupes épicées. La salive me monte à la bouche, malheureusement nous ne sommes pas là pour nous remplir la panse.

Il nous conduit dans une pièce à peine plus grande qu'un placard, fermée par un rideau. Là, Gloria sort de sa poche une grosse poignée de dollars, ainsi que nos passeports.

Monsieur Ha les feuillette. Il sourit :

— Ah oui, la France ! Beau pays !

Il empoche les dollars, puis il me désigne un tabouret. Je tressaille. Va-t-il me raser la tête comme l'horrible Serguëi ?

— Allez, m'encourage Gloria, tu n'as rien à craindre !

Je m'assois prudemment. Monsieur Ha farfouille derrière son rideau, puis il tire devant moi un appareil photo rutilant, monté sur un trépied. Je me tourne vers Gloria. Ça y est, j'ai compris ! Je vais avoir une photo neuve pour mon passeport ! C'est pour ça qu'il fallait d'abord aller à Bapuli ! Un enfant de France ne peut pas être crasseux ni pouilleux, n'est-ce pas ?

— Regarde par ici, m'ordonne Monsieur Ha. C'est bien. Maintenant, tu fixes l'objectif en pensant à la tour Eiffel.

Je fronce les sourcils. Quelle *touréfèl* ?

— Enfin, mon garçon, tout le monde connaît la tour Eiffel !

Je secoue la tête. Moi, je ne connais que les pages de mon atlas, avec les noms des villes, des fleuves, des montagnes – je peux même vous dire le nombre de kilomètres entre Paris et Marseille –, mais je n'ai jamais vu aucune tour de ce nom.

Monsieur Ha soupire et repart derrière son rideau. Il en revient avec une sorte de catalogue. Sur chaque page, il y a un cliché différent, et chacun représente un monument de France.

— Là ! m'indique-t-il. C'est ça, la tour Eiffel ! Regarde-la bien !

Je fixe l'image qui représente un grand édifice de ferraille en forme de flèche, planté dans le ciel bleu. La légende, écrite en russe, dit : « La tour Eiffel, le Champ-de-Mars, la Seine, le pont d'Iéna, les bateaux-mouches. »

— Alors, mon garçon ? Prêt ?

Je lève les yeux vers l'objectif. Je pense fort à cette tour pointue, à ce pont arqué sur la Seine, et j'imagine que je suis dessus ; *clic-clac*.

— Parfait ! Un vrai petit Parisien ! rigole Monsieur Ha. Allez, ouste, laisse la place !

Gloria s'installe sur le tabouret, et, pendant qu'elle se fait photographier, je feuillette le catalogue. Je découvre ainsi Montmartre et ses peintres, les Champs-Élysées et leurs promeneurs, le château de Versailles du Roi-Soleil, la cathédrale de Chartres, le pont du Gard, et aussi le Mont-Saint-Michel, entouré par la mer.

Monsieur Ha se penche par-dessus mon épaule. Il contemple avec moi la mer, le sable, et l'ange doré au sommet du Mont.

— Je te donne le bouquin, si tu le veux. Apprends tout ça par cœur, mon garçon, tu en auras besoin.

Il nous recommande de revenir dans deux jours, et nous quittons la gargote sous les regards des mangeurs de soupe.

Dehors, le jour décline. Ce sera bientôt le couvre-feu ; il est grand temps de regagner notre refuge. Le catalogue de Monsieur Ha serré sous mon bras, je demande à Gloria ce que nous ferons une fois que nous aurons nos passeports.

— Nous pourrons aller où nous voudrons, me répond Gloria. Jeanne et Blaise Fortune seront des citoyens libres !

Je réfléchis, perplexe. J'ai beau savoir que je m'appelle vraiment Blaise, je me sens triste à l'idée de quitter Koumaïl. Quand nous embarquerons, j'ai l'impression qu'une part de moi restera à Soukhoumi, comme une valise abandonnée sur un quai. Une valise pleine de souvenirs et de regrets.

Une idée me vient soudain, et je retiens Gloria par la manche.

— Si tu deviens Jeanne, il faudra que je t'appelle « Maman » pour de bon, pas vrai ?

Gloria me dévisage d'un air si sérieux que ça me coupe la respiration. Elle demande :

— Tu crois que tu y arriveras ?

Je réfléchis une seconde avant de hocher la tête et de répéter la phrase qu'elle m'avait dite le jour où nous étions assis par terre à *Kopeckochka* :

— Il faut bien inventer des histoires pour que la vie soit supportable, pas vrai ?

19

Les bombardements nocturnes s'intensifient. Le port n'est plus que désolation, paraît-il, et Monsieur Ha pousse un gros soupir quand il nous rend nos passeports. Ils sont parfaitement réussis, dans les règles de l'art et tout, mais il est impossible d'embarquer pour l'instant, mon garçon ! Trop dangereux ! Aucun passage ! Il faut attendre.

— Patience, me dit Gloria en voyant mon air désappointé. Ce sont les aléas de l'existence. Il faut s'en arranger.

Nous restons donc enfermés dans le grenier du *Matachine*, à guetter les avions par la lucarne en espérant une trêve.

Je ne m'ennuie pas, heureusement, car j'ai mon catalogue de la France à apprendre par cœur. Je bassine Gloria avec les Romains, Vercingétorix et Charlemagne. Le catalogue est en russe, bien entendu, sauf les dernières pages, où il y a le vocabulaire courant en français phonétique.

— Répète après moi, je dis. *Mercijevouzenpri...*

— *Mercijevouzenpri.*

— Pas mal. *Uncafésilvouplé.*

— *Uncafésilvouplé.*

— Bien. *Pardonmeussieujevoudrèalléalatouréfèl.*

— *Pardonmeussieuje...* Tu me fatigues, Koumaïl. C'est trop difficile !

— OK, j'apprendrai tout seul. Mais ne viens pas te plaindre quand tu seras perdue dans les rues de Montmartre !

Souvent, Gloria descend au bar pour discuter avec l'homme qui décapsule les bières, et je n'ai pas le droit de venir car ce ne sont pas mes affaires. Quand elle remonte, elle me rapporte de quoi manger. Ensuite, elle colle son oreille contre la radio de Fotia, et elle reste là pendant des heures, concentrée. Elle dit qu'elle écoute les nouvelles de la guerre, mais je crois qu'elle entend surtout des grésillements.

Et puis, un soir, la trappe s'ouvre et je vois deux têtes émerger au ras du plancher. L'homme qui décapsule les bières nous annonce :

— Voici Nour et Fatima. Serrez-vous un peu, on ne peut pas faire autrement.

Il déplie deux autres lits, et Gloria met du charbon

dans le samovar, tandis que je regarde Fatima avec des yeux de merlan frit.

Elle s'assied sur son lit et dénoue le foulard qui retient ses cheveux. Je n'ai jamais vu une personne aussi belle. À cet instant, pour la deuxième fois de ma vie, je tombe amoureux. Ça non plus, on n'y peut rien. Ce sont les aléas de l'existence, pas vrai ?

Fatima a dix-sept ans. Elle ne ressemble pas à Suki et Maya. Fatima est unique.

Son visage est doré, ses lèvres très fines, et sa voix me rend mélancolique lorsqu'elle chante – ce qui arrive très souvent ! Elle me parle de sa vie d'avant, lorsqu'elle allait à l'école de sa ville. Ce qu'elle préférait, c'était les leçons de mathématiques et de géométrie. Avec ses mains, elle dessine des figures : cônes, triangles isocèles, losanges… On dirait une danse. À mon tour, je lui dis ce que j'ai appris dans notre université des pauvres, et Fatima me félicite :

– Tu connais beaucoup de choses pour ton âge, Koumaïl ! Plus tard, tu deviendras quelqu'un de très important !

Je rougis, mais par chance Fatima ne peut pas me voir étant donné qu'elle garde toujours les yeux fermés. C'est comme ça depuis que la milice a tué son père, là-bas, à l'est du Caucase.

Nour, sa mère, nous raconte :

— Ils sont entrés dans notre maison avec des kalachnikovs. Ils ont tiré sur mon mari. Fatima l'a vu tomber. Là, sur son tapis de prière. Depuis, elle ne veut plus ouvrir les yeux.

Nour pleure beaucoup et Gloria la console contre son embonpoint. Elle lui dit des mots pour les adultes — minorités ethniques, génocide, Tribunal pénal international —, mais Nour a attrapé un désespoir, ça se voit comme le nez au milieu de la figure.

Moi, assis sur mon lit, je me demande de quelle couleur peuvent être les yeux de Fatima. Je me demande aussi ce qu'elle perçoit derrière le rideau de ses paupières. Le rectangle de lumière dans la lucarne ? Des images de sa vie ancienne ? Le sang de son père ? Uniquement du noir ? Je n'ose pas lui poser la question. Chacun de nous cohabite avec ses fantômes, je le sais, et il ne faut pas trop les déranger, sous peine de réveiller les chagrins qui nous labourent la poitrine. Mieux vaut se contenter du présent tel qu'il est, dans notre refuge, avec le thé bouillant du samovar, et l'envie d'avancer vers d'autres horizons.

— Qu'est-ce que tu lis ? me demande Fatima.

— Comment tu sais que je lis ?

— J'ai entendu le froissement des pages, andouille ! Mes oreilles ne sont pas bouchées !

Je lui parle de Monsieur Ha et du catalogue. Je lui décris

la tour Eiffel, Notre-Dame de Paris, et la Côte d'Azur qui ressemble à Soukhoumi avant la guerre. Fatima sourit.

— Tu as de la chance d'aller là-bas. Ma mère et moi, nous irons en Arabie.

Je consulte mon atlas : l'Arabie se situe à la page 80, au sud du Caucase. Et, d'après la carte, c'est une sorte d'immense désert de sable. Je propose à Fatima de changer d'idée et de venir en France avec nous, mais elle secoue la tête. Pour elle, c'est plus simple d'aller en Arabie, à cause de sa tante qui travaille là-bas et de la religion musulmane.

— La France n'est pas un pays musulman, m'explique-t-elle. C'est un pays chrétien.

Je suis tellement déçu par cette histoire de religion que je me renseigne auprès de Gloria :

— La France, c'est chrétien, comme pays ?

— La France n'a pas de religion, Koumaïl.

— Ah ? Mais est-ce qu'en France il y a quand même des musulmans ?

Elle me répond que oui. En France, tout le monde peut croire ce qu'il veut, dire ce qu'il veut, faire ce qu'il veut, car c'est la patrie des droits de l'homme.

— Si Fatima vient en France, elle pourra prier Allah sur son tapis ? Personne ne l'embêtera si elle cache ses cheveux sous son foulard ? Personne ne tirera sur elle avec une kalachnikov ?

Là-dessus, Gloria est formelle : la France, c'est Liberté, Égalité, Fraternité. Là-bas, personne ne juge son voisin à cause d'un tapis ou de ses cheveux, pour la bonne raison que ça n'en vaut pas la peine, OK ?

— OK !

Je m'empresse de le répéter à Fatima ; j'aimerais tant la convaincre d'embarquer avec nous ! Mais elle s'obstine à secouer la tête. Chacun doit suivre son destin, c'est tout. Et, si Allah le veut, la paix reviendra dans le Caucase et chacun pourra retourner chez soi.

— Alors, peut-être que nous nous reverrons, Koumaïl.

Je me révolte :

— Mais ce sera sûrement dans longtemps ! Peut-être même... jamais ? Pourquoi faudrait-il attendre la volonté d'Allah ?

Deux petites larmes glissent sous les paupières closes de Fatima. Il n'y a pas de réponse à une question pareille.

Je touche sa main et nous nous allongeons sur nos lits de camping, côte à côte, tandis que des étoiles timides s'allument dans la lucarne.

À haute voix, je rêve :

— Si Allah le veut, un jour, tu ouvriras les yeux. La paix sera là. Tu verras des gens se promener en sandales sous les palmiers de Soukhoumi. Et moi, je serai devenu grand. Aussi fort et musclé que Stambek. Et, là, je te demanderai de m'épouser. Je t'emmènerai où tu veux.

Dans le verger de Vassili ou au Mont-Saint-Michel. Il y aura tout le monde : ZemZem et Gloria, ses cinq frères, Emil et Baksa... tout le monde.

Je dis ce qui me passe par la tête, et ce sont des bêtises d'enfant, bien sûr. Mais Fatima ne se moque pas de moi. Elle tient ma main dans la sienne, bien serrée, et elle chante. Elle sait qu'il ne faut pas briser mes rêves, sinon, je vais encore perdre un morceau de mon cœur, et à force il n'en restera que des miettes.

20

Parmi les choses précieuses, celle qui plaît le plus à Fatima, c'est le violon d'Oleg. Je le pose sur ses genoux, avec l'archet. Elle passe ses doigts le long des courbes, des volutes, puis elle pince les cordes.

— Hum... Drôle de son !

— Il n'avait plus de cordes. Je l'ai réparé moi-même avec des fils que j'ai trouvés dans une décharge.

Fatima prend l'archet, cale l'instrument sous son menton, et la voilà qui joue. Au début, le son est hésitant, mais bientôt les notes s'affirment, s'élancent, se répondent et c'est un miracle qui vous cloue sur place.

Quand elle a fini, son visage est lumineux. Elle dit :

— Ça ne ressemble à rien, mais c'est beau quand même. C'est mon père qui m'a appris la musique. Tu veux essayer ?

Elle me tend le violon et s'installe à côté de moi. À tâtons, elle guide mes mains. Ses cheveux me frôlent. Son souffle effleure ma nuque.

— Tu as peur ? me demande-t-elle.

— Non.

— Alors pourquoi tu trembles, andouille ?

J'essaie de contenir les battements violents de mon cœur, je m'applique, mais le violon d'Oleg ne se laisse pas faire et Fatima rit en entendant mon *crin-crin* désolant. Tant pis ! Je prendrais toutes les leçons de musique du monde pour sentir sur ma peau la respiration de Fatima... Montre-moi encore ! Apprends-moi ! Aide-moi !

Le seul ennui, c'est que je casse les oreilles de tout le monde, et Gloria finit par me supplier d'arrêter. Vexé, je lance :

— Tu n'aimes pas la musique, c'est ça ?

— Nom de Dieu, si, Koumaïl ! Justement !

Sans cesser de rire, Fatima range le violon d'Oleg dans sa boîte. Elle me promet d'essayer de nouveau quand Nour et Gloria descendront au bar pour régler leurs affaires, ce qui arrive au moins une fois par jour.

C'est mon moment préféré, d'ailleurs. Seul avec Fatima. Je lui lis mon catalogue avec les mots courants du français, par exemple : *oupuijetrouvéunbonrèstoran ?* ou *jesuimaladéjevoudrèvoirunmédecin*, et elle répète en tordant sa bouche dans tous les sens. Nous avons aussi un jeu qui consiste à écouter les bruits de la rue : Fatima me dit ce qu'elle entend, et moi, penché à la lucarne, je lui dis ce que je vois — un vélo qui freine, deux hommes qui s'insultent, une voiture accidentée, une bagarre de chats... Elle devine beaucoup de choses et je pense qu'elle a l'oreille aussi fine que ZemZem.

— Tu sais ce que signifie ZemZem en arabe? me demande-t-elle. Ça veut dire «bruissement de l'eau».

— Ah?

— Et ton nom, Koumaïl, tu le sais?

— Non.

— Ça veut dire «universel».

Je n'ose pas lui avouer que ce n'est pas mon véritable nom, et que je suis seulement un petit Français égaré dans le Caucase.

Puis, Nour et Gloria remontent au grenier avec des galettes de maïs, du riz, et même des boulettes de viande aux oignons. Nous partageons le festin en quatre parts égales, assis par terre autour du samovar.

Tout va bien, jusqu'au jour où Fatima et moi entendons des cris dans le *Matachine*, puis un grand raffut qui vient de la rue. Fatima devient pâle.

— J'entends gronder la haine et la colère, murmure-t-elle. Il se passe quelque chose!

L'instant d'après, Nour et Gloria surgissent par la trappe, essoufflées, et leurs yeux sont remplis d'ombre.

— Les rebelles ! dit Nour.

— On ne peut plus rester là ! dit Gloria.

Je sens un grand vide dans ma poitrine, comme un trou d'air, et aussitôt Fatima s'agenouille devant moi.

— Allah l'a décidé ainsi, me dit-elle. Promets-moi de beaucoup grandir quand tu seras en France, Koumaïl. Viens, mets-toi debout !

J'obéis malgré le poids terrible qui m'écrase tout à coup. Fatima me tire contre elle et pose une main sur ma tête.

— Regarde où tu m'arrives, Koumaïl. Juste à l'épaule !

Je recule d'un pas pour mieux estimer les centimètres qui nous séparent.

— Si tu veux m'épouser, il faudra que tu m'arrives au moins là !

Sa main est suspendue en l'air, au-dessus de sa propre tête. Le défi est immense ! Insurmontable ! Comment parviendrai-je un jour à une taille pareille ?

— Tu le pourras, Koumaïl. À condition de faire bien attention à toi.

Je jette un regard vers Gloria qui ramasse nos couvertures, la radio, le nécessaire de cuisine, mon catalogue, et qui entasse chaque chose dans le barda. Nour est déjà prête : elle attend Fatima près de la trappe.

— Dépêchons-nous ! supplie-t-elle. Les émeutes gagnent le quartier !

Je me jette au cou de Fatima. Elle me serre dans ses bras très vite, et ensuite c'est fini. Nous dévalons l'échelle. En bas, l'homme qui décapsule les bières est en train de baisser le rideau métallique devant la porte du bar.

— Filez, allez ! Disparaissez ! C'est dangereux !

Nous sommes projetés dans la rue, au milieu de la cohue des fuyards, et le rideau de fer s'abat derrière nous. Fatima se laisse entraîner par sa mère, et moi, agrippé à Gloria, je comprends que je suis en train de la perdre. Exactement comme la nuit où la milice nous a chassés de l'Immeuble, quand j'ai perdu Emil, Baksa, Rebeka et les autres… C'est la peur qui fait ça. Elle fait courir les gens dans tous les sens, elle sème le désordre, et, après, impossible de s'y retrouver.

Dans la panique, je crie :

— Fatima, ouvre les yeux ! Regarde-moi ! Tu ne sais même pas comment est mon visage ! Tu ne pourras pas te souvenir de moi !

Fatima résiste un court instant à la foule qui dévore la rue. Elle se retourne. Les paupières résolument fermées, elle me lance :

— Je ne connais pas ton visage, andouille, mais je connais ton cœur et le son de ton violon ! Ça, je m'en souviendrai !

21

Dans la vie, rien ne se passe comme on le voudrait, voilà la pure vérité.

On voudrait aimer quelqu'un pour toujours, et il faut se quitter.

On voudrait la paix, et c'est l'émeute.

On voudrait prendre un bateau, et il faut grimper dans un camion.

Un camion qui pue l'essence frelatée, la sueur, le chien mouillé. Un camion qui s'embourbe, qui bascule dans les ornières des routes de montagne. Un camion qui transporte des dizaines d'autres réfugiés avec leurs bardas remplis de trucs.

Et le pire, c'est que personne n'y comprend rien. Si Dieu existait, ou Allah, il serait bien en peine de fournir une explication à nos malheurs, pas vrai ?

Les yeux dans le vague, je dis à Gloria que j'en ai marre des aléas de l'existence. Je vais avoir onze ans bientôt, et je n'ai connu que des départs en catastrophe, des adieux précipités, des déchirements. Si ça continue, je vais sauter du camion et attendre que les soldats me tirent dessus, voilà.

— Ah oui ? dit-elle. Et après ?

— Après je serai mort, évidemment !

— Tu seras bien avancé, c'est sûr.

Par un trou dans la bâche qui couvre l'arrière du camion, je vois défiler une forêt d'arbres touffus. Il y fait plus sombre que dans le cul d'une poule. Si je saute, je pourrai peut-être vivre caché là pendant cent sept ans, comme un ours ?

— Et ta mère ? Tu y penses ? murmure Gloria. Tu crois qu'elle serait contente d'apprendre que tu es mort ?

— Elle ne me connaît pas, ma mère. Elle s'en fiche. Et, si ça se trouve, elle est morte, elle aussi…

— Tatata ! Jeanne Fortune n'est pas morte. Elle est en vie.

— Comment tu peux le savoir ? Tu racontes des histoires pour m'obliger à vivre, hein ?

Gloria croise les bras sur sa poitrine. Elle réfléchit, tandis que le camion roule en zigzag entre les flaques. Autour de nous, les autres réfugiés essaient de trouver le sommeil. Ils sont assis en vrac. On dirait des marchandises.

— Assieds-toi là et reste tranquille, me dit Gloria. J'ai quelque chose de sérieux à te montrer.

Je me méfie. Quoi encore ? Gloria a-t-elle d'autres secrets dans sa boîte ?

— Pas dans ma boîte, Monsieur Blaise. Dans ma poche.

Je suis en colère, mais je m'assieds quand même. Dehors, il pleut et c'est nulle part. Pour être honnête, je préfère rester au sec avec Gloria, même si elle m'énerve.

Elle fouille sous son manteau et en sort une enveloppe froissée.

— Tiens, ouvre.

Je déplie le papier. En haut à gauche, il y a des couleurs : bleu, blanc, rouge. Et une tête de femme. En dessous, des lignes et des lignes en français. J'ai beau avoir appris le vocabulaire courant dans mon catalogue, je ne peux pas lire ce qui est écrit à cause de l'alphabet.

— Qu'est-ce que c'est ?

— Un formulaire officiel, répond Gloria avec une voix d'agent secret. Du ministère des Affaires étrangères. Tu vois ce sigle, là-haut ? C'est l'emblème de la France. Dessous, il y a *Liberté Égalité Fraternité*. Je l'ai fait traduire par un ami de Monsieur Ha.

— Ah ?

— Parfaitement. Et tu sais ce qui est écrit ?

Elle fait une pause en me fixant si intensément que ça me flanque la chair de poule.

— C'est écrit que ta mère est bien vivante, Monsieur
Blaise. Jeanne Fortune en personne ! C'est là, noir sur
blanc ! Et tu sais quoi ? Elle habite au Mont-Saint-Michel.
C'est officiel.

J'ouvre des yeux comme des soucoupes. Ce papier
vient de France ! Il parle de ma mère ! Il mentionne le
Mont-Saint-Michel ! Chamboulé, je contemple le formulaire avec des sentiments forts qui me donnent envie de
pleurer. Puis Gloria le récupère et le replace dans l'enveloppe : pas question de l'égarer ou qu'il s'envole dans les
courants d'air.

— Ne t'inquiète pas, me dit-elle. Le voyage sera plus
long et plus difficile qu'en bateau, mais nous sommes sur
la bonne voie.

Une larme descend sur ma joue, et je n'arrive plus à
savoir si je suis triste, content ou quoi. Mon cœur est
gonflé comme une éponge.

— Et Fatima ? je demande. Tu crois qu'elle retrouvera
sa tante en Arabie ? Tu crois qu'elle sera heureuse, là-bas,
avec tout ce sable ?

— *Inch Allah,* répond Gloria.

Elle me prend dans ses bras, comme quand j'étais
petit. Elle me caresse, elle me berce et je console mon
chagrin en respirant son parfum de lessive et de thé, qui
agit sur ma douleur mieux qu'un baume.

— Allons… dors, petit miracle, murmure-t-elle.
Demain, la vie sera meilleure.

22

Il suffit de regarder mon atlas à la page 67 pour comprendre que la mer Noire est une vraie complication. Si elle n'était pas là, le Caucase serait beaucoup plus près de l'Europe ! Mais voilà, personne ne peut décider de supprimer une mer, et, par ici, aucun ingénieur n'a pensé à creuser un tunnel dessous pour y faire rouler un train. C'est pourquoi nous devons faire un long détour et traverser plusieurs pays, plusieurs frontières, ce qui est dangereux.

Je ne sais pas qui a inventé les frontières, si c'est Dieu, Allah ou quoi, mais je trouve que c'est une mauvaise idée.

À la frontière, même quand vous avez un passeport officiel avec une photo dans les règles de l'art, vous êtes obligés de sauter du camion. C'est la guerre qui veut ça. Contrôles ! Barbelés ! Chiens ! Caméras ! Impossible de passer avec une cargaison de réfugiés affamés ! Allez, ouste ! Le chauffeur ne va pas plus loin ! Ceux qui veulent tenter leur chance doivent suivre cet homme : il connaît le coin par cœur, il saura vous guider !

Nous demandons :

— Et après ?

— Le camion vous récupérera de l'autre côté, tout est prévu ! Allez, allez !

Puisque nous n'avons pas le choix, nous descendons. Cet Homme nous réclame un droit de passage qu'il faut payer en dollars, rubis sur l'ongle, et ensuite il nous emmène dans la forêt.

Nous sommes une quinzaine, en file indienne derrière Cet Homme qui nous fraie le chemin avec sa lampe de poche. Autour de nous, la nuit ouvre sa bouche épaisse et menaçante ; au moindre écart, elle pourrait nous avaler tout crus. Mais, quand on veut quelque chose, il faut souffrir en silence, pas vrai ? Alors je marche, en me tordant les chevilles, en essayant d'oublier ma peur, la fatigue et la faim ; j'ai l'habitude.

Il pleut. La boue se transforme en glu sous nos semelles, et, si vous voulez mon avis, ce n'était pas la peine de se faire propre aux bains publics, puisque au bout du compte on doit se salir dans les bois à chaque contrôle.

— Tatata ! Arrêtez de râler, Monsieur Blaise, et marchez en silence, OK ?

Quand même, je ne pensais pas que ce serait si difficile d'être libre. Sans compter qu'avec l'humidité et le poids du barda sur son dos, Gloria recommence à tousser. Ça me noue l'estomac d'entendre cet horrible chien aboyer dans sa poitrine.

— Est-ce qu'en France il y a de bons médecins ?

Gloria reprend son souffle, les mains sur les hanches.

— Je n'ai pas besoin d'un médecin. Ce n'est rien... Juste... une quinte.

Nous avançons entre les arbres pendant des heures et des heures. Nos pieds glissent et roulent, sur les cailloux, les branches mortes et des choses invisibles. Pour me donner du courage, je répète mon vocabulaire courant : *bonjourjevoudréunechambre. Oupuijetrouvéunbonrèstoran ? Pardonmeussieujevoudréalléalatouréfèl...*

Plus tard, nous atteignons l'orée d'un village et Cet Homme nous dit de l'attendre là, cachés dans une grange. Notre petit groupe se serre pour se tenir chaud, tant et si bien que je m'endors.

Quand je rouvre les yeux, le jour s'est levé. Gloria discute avec les autres réfugiés pour savoir ce que nous devons faire. Attendre encore ? Partir ? Je lui demande où est Cet Homme et elle m'explique qu'il a disparu. Il a empoché nos dollars et il a filé sans tenir sa promesse. C'est une pourriture, voilà tout, et nous devons nous débrouiller seuls.

Nous sortons de la grange avec nos yeux fatigués, et nous entrons dans le village par une rue en terre jonchée de pneus crevés et de bidons vides. Le premier être vivant que nous croisons est un chien aux poils jaunes qui vient nous renifler. Ensuite, à mesure que nous avançons, des portes s'ouvrent. Des enfants surgissent, puis des femmes, des vieux, et ils nous observent sans dire un mot, comme si on tombait de la planète Mars.

Au bout de la rue, des hommes sont rassemblés. Leurs visages ont la couleur de la cire. Ils fument des mégots, ils crachent, et l'un d'eux a un fusil calé sous son bras. Je ne peux pas m'empêcher de penser à la kalachnikov qui a tué le père de Fatima sur son tapis de prière et je frissonne.

— Réfugiés, hein ? nous lance l'homme au fusil lorsque nous arrivons près du rassemblement. D'où vous venez ?

Nous racontons Soukhoumi, les émeutes, le camion, la marche dans la forêt, et Cet Homme qui nous a faussé compagnie avec nos dollars.

— Les passeurs, faut pas leur faire confiance, soupire l'homme. Tous des profiteurs de misère ! C'est la troisième fois qu'on voit ça en moins d'un mois !

L'assemblée hoche la tête gravement, et je n'ai plus peur du fusil. Je vois que ces gens sont seulement des paysans pauvres qui s'arrangent avec les aléas de l'existence. Ils disent :

— On peut pas grand-chose pour vous aider, mais venez.

Ils nous conduisent jusqu'à la porte d'une grande baraque, où nous entrons en troupeau. Dedans, il fait chaud, et une bonne odeur de bergamote flotte entre les murs. Au fond de la pièce, une télé est allumée.

Une babouchka nous fait signe de nous asseoir sur des coffres. Elle nous sert du thé dans de petits verres décorés, puis des galettes fumantes avec un plat de chou bouilli, et, si vous voulez mon avis, c'est le meilleur festin du monde.

— Tu vois, me sourit Gloria, il ne faut jamais désespérer du genre humain. Pour un homme qui te laisse tomber, tu en trouveras des dizaines d'autres qui t'aideront à te relever, d'accord ?

— D'accord.

Soudain, la télé montre des images de Soukhoumi : les troupes militaires, les tanks, les avions, et les maisons en feu. Notre groupe de réfugiés cesse de manger en voyant ça, et la babouchka monte le son pour que nous puissions entendre les nouvelles de notre guerre. Je scrute l'écran en espérant apercevoir Fatima et Nour parmi la foule des gens qui s'enfuient, mais tout va trop vite, et pour finir un homme en treillis apparaît devant la caméra.

Gloria se lève si brusquement qu'elle renverse son verre de thé, *bling,* par terre.

— Qu'est-ce qu'il y a ? je demande.

Elle ne me répond pas. Elle tremble.

Elle s'approche de la télé tandis que l'homme en treillis parle avec des mots d'adulte dans un micro. Moi, tout ce que je vois, c'est son nom inscrit en bas de l'écran : ZemZem Dabaïev. Puis Gloria qui devient pâle, et les larmes qui dégoulinent de ses yeux.

Je m'approche d'elle. Je prends sa main. Jamais la main de Gloria ne m'a paru si froide ! Je dis :

— Maman ?

Elle se penche vers moi, elle murmure « Koumaïl » et elle s'écroule sur le plancher de la baraque.

23

Quand on a presque onze ans, il y a beaucoup de choses impossibles à comprendre, notamment sur l'amour, la guerre, les indépendantistes, les enjeux stratégiques des nations et aussi sur ZemZem Dabaïev. C'est à cause de tout ça que Gloria s'est effondrée sur le plancher de la baraque, mais elle ne peut pas m'en dire plus. Quand je serai grand, peut-être, elle m'expliquera.

— Mais pas maintenant, Monsieur Blaise... Pas maintenant.

Maintenant, nous devons poursuivre notre voyage par tous les moyens, et, si je pose encore une seule question sur ZemZem, Gloria va finir par m'étrangler, c'est compris ?

— OK.

Nous quittons le village à bord d'une charrette conduite par l'homme au fusil. Il nous transporte jusqu'au fond d'une vallée sombre qui semble taillée à la hache dans les flancs des montagnes : nous voilà en Russie pour de bon. Notre guide nous dit adieu avant de s'en retourner vers son village, puis notre groupe de réfugiés se disperse, chacun suivant son destin, *inch Allah*.

Gloria et moi continuons à pied. Ou, quand la chance nous sourit, en auto-stop. Dans des camions, des voitures cabossées, le long des routes, des fleuves, des marécages…

Nous dormons dans des abris improvisés qui ne nous abritent pas beaucoup. J'ai souvent froid, alors je rêve de Fatima dans les dunes de l'Arabie, et ça me réchauffe.

Au bout du compte, la seule chose que je peux dire sur la Russie, c'est qu'on y voit beaucoup de barrages hydrauliques, mais pas beaucoup de monde.

À la frontière ukrainienne, cette fois, il n'y a pas de barbelés. Seulement des gardes armés et des chiens. Gloria s'arrange avec le conducteur d'un car touristique à moitié vide. Il accepte nos derniers dollars, et en échange nous pouvons nous joindre aux passagers qui somnolent sur leurs sièges, avec leurs appareils photo autour du cou. Quand on a connu la guerre et les bombes, c'est étrange de voir des touristes. Et, si vous voulez mon avis, ils feraient mieux d'aller prendre des photos ailleurs.

— Voyons si Monsieur Ha a bien travaillé ! me chuchote Gloria en me donnant mon passeport.

Je tourne les pages et j'examine mon portrait de petit Parisien où j'apparais propre, bien coiffé, sans pou ni puce. Rien ne cloche, j'en suis sûr. Pourtant, je tremble un peu lorsque le garde-frontière commence à inspecter le car.

C'est un type costaud, en uniforme réglementaire, avec une nuque de bœuf et des yeux de veau qui me font vaguement penser à ceux de Stambek. On dirait qu'il a oublié son intelligence quelque part, lui aussi ; c'est notre chance.

— Français ? nous demande-t-il en russe.

Nous hochons la tête avec conviction, mais je vois qu'il hésite devant les tampons dessinés par Monsieur Ha. Je me penche alors vers Gloria et, sans réfléchir, je débite le vocabulaire courant que j'ai appris dans mon catalogue. C'est un vrai fatras, et bien sûr ça n'a aucun sens, mais ce gardien n'y connaît rien. Si ça se trouve, il ignore même l'existence de la tour Eiffel et du vase de Soissons ! Il me regarde avec ses yeux de veau, puis Gloria, et encore moi.

Finalement, il referme nos passeports.

— Bienvenue en Ukraine, dit-il.

Nous retenons encore notre respiration, jusqu'à ce que le car passe les barrières et prenne un peu de vitesse.

— Ça alors ! s'exclame Gloria. Vous êtes un vrai dictionnaire, Monsieur Blaise !

Je rigole en pensant à mon charabia, mais Gloria a l'air sérieusement épatée par mes prouesses linguistiques. Pour donner le change, je dis :

— Peut-être qu'il reste un peu de français au fond de ma mémoire depuis le Terrible Accident ? Peut-être que je me souviens de certaines choses sans m'en rendre compte ?

— Peut-être…, murmure Gloria. En tout cas, si ta mère te voyait, elle serait fière de toi.

Je pose ma tête sur son épaule et je ferme les yeux. Peut-être qu'en cherchant bien je pourrais retrouver le visage de Jeanne Fortune enfoui dans l'épaisseur de mes souvenirs ? Qu'en me creusant la tête je réussirais à entendre le son de sa voix ?

— Et mon père, je demande, tu crois que je l'ai connu ? Tu crois qu'il m'a porté dans ses bras avant le Terrible Accident ?

Un petit sursaut fait tressaillir l'épaule de Gloria.

— Oui, je crois, dit-elle.

— Tu crois, mais en vérité tu n'en sais rien.

— Quand on ne sait pas, on imagine, Monsieur Blaise. C'est mieux que rien, OK ?

Il y a tant de mystère autour de mon passé, et tant d'incertitude sur mon avenir que ça me flanque le vertige, alors je préfère ne pas trop y penser. Tandis que le car prend la route d'Odessa, je me contente de calculer le nombre de frontières qu'il nous reste encore à franchir avant la France : au moins six. Ce sera long, mais ce qui compte, c'est d'aller droit devant, pas vrai ?

24

Dans la gare de triage d'Odessa, nous dormons au fond d'un wagon à bestiaux. Le sol est dur, ça pue la pisse de vache, mais je rêve que je suis allongé sous la lucarne du *Matachine* avec Fatima, en train de regarder les étoiles immuables.

Cette nuit-là, on nous vole la radio et le samovar. Les voleurs ukrainiens sont très très silencieux, et ça me rend si triste que je n'ai plus aucun courage.

— Tatata ! dit Gloria. Le barda est moins lourd, maintenant. D'une certaine façon, les voleurs m'ont rendu service !

25

Certains jours, hélas, je vois passer des ombres dans les yeux de Gloria. C'est le chagrin qui fait ça. Même si elle le cache, je sais qu'elle pense à ZemZem, à ses cinq frères, à Liuba, et aux fruits merveilleux du verger de son enfance. Je n'ai pas de remède pour la consoler. Tout ce que je peux faire, c'est avancer sans rouspéter, et parfois réciter des poèmes de Charles Baudelaire que j'apprends dans mon catalogue. *Hommelibretoujourtu-chériralamer !*

26

Nous voilà en Moldavie, au milieu d'une campagne toute plate où les blés commencent à blondir. Nous n'avons rien dans l'estomac depuis deux jours.

Nous apercevons une ferme. Je marche sur la pointe des pieds et je me faufile dans le poulailler pour voler des œufs. J'en trouve quatre et je sors avec mon butin.

Le fermier surgit. Il crie dans son langage. Moi, je cours à toutes jambes pour rejoindre Gloria qui m'attend cachée dans les bosquets. Mon poursuivant a de grandes jambes et une fourche. Il m'attrape. Je glisse. Les œufs tombent et se cassent.

Le fermier moldave me secoue, il me pique avec la fourche, mais je m'en fiche complètement : je ne vois que les œufs brisés, notre pauvre dîner qui se répand dans l'herbe.

L'homme menace d'appeler la police : pas la peine de parler moldave pour comprendre ça.

Je supplie, je pleure, je me débats comme un diable.

Gloria sort de sa cachette. Elle est pâle et faible sur ses jambes amaigries. Elle s'approche du fermier et lui envoie une paire de claques dont il se souviendra jusqu'à la fin de ses jours.

L'autre est tellement surpris qu'il me lâche.

Gloria hurle que c'est une honte de martyriser un enfant, tu ferais mieux d'aller te pendre, vieux grigou !

Je rigole en voyant la tête déconfite du Moldave.

Vite, nous partons à travers les champs. Le ventre creux, bien entendu, mais dignes et toujours libres. Si vous voulez mon avis, il n'est pas né, celui qui arrêtera Gloria Bohème !

27

Nous faisons halte au bord d'un torrent et je récolte dans les buissons des baies sauvages qui n'ont pas eu le temps de mûrir. C'est notre seul repas.

Quand la nuit tombe, nous nous installons au pied d'un arbre, et je demande à Gloria de me raconter mon histoire.

— Encore ?

— Oui, encore ! Avec tous les détails !

Je pose ma tête sur sa poitrine. Je sens les os saillants de ses côtes sous ma nuque. Elle m'enroule dans la couverture en peau de mouton et elle soupire :

— C'était la fin de l'été. J'habitais alors chez le vieux Vassili, mon père, celui qui m'a donné le samovar...

— ... que les voleurs ukrainiens nous ont pris !

— N'y pensons plus, Koumaïl. À cette époque, Vassili possédait le plus beau verger de tout le Caucase.

Des pommiers, des poiriers... des hectares et des hectares couverts d'arbres. Avec d'un côté la rivière, et de l'autre la voie ferrée...

Je redresse la tête et je lui demande si elle sait ce que signifie ZemZem en arabe. Elle s'étonne :

— Tu le sais, toi ?

— « Bruissement de l'eau », dis-je. C'est Fatima qui me l'a appris. C'est beau, hein ?

Gloria se tait, et pendant un long moment nous écoutons le torrent qui déroule ses flots dans les ténèbres. Entre les branches de l'arbre, les étoiles apparaissent. J'ai dans la bouche le goût acide des baies sauvages, et mes pensées vagabondent. Je déclare :

— À mon avis, ZemZem est devenu quelqu'un de très important. C'est pour ça qu'il parlait à la télévision. Il n'y a que les gens importants qui passent à la télévision, pas vrai ?

— Je ne sais pas, murmure Gloria. Je ne sais pas...

Sa voix s'éteint comme une bougie dans un courant d'air. Inutile d'insister : ce soir, Gloria n'a pas la force de raconter. Je ferme les yeux. Pour avoir moins peur du noir et de l'inconnu, je convoque mes fantômes : Vassili et ses moustaches géantes, Fotia et Oleg avec leurs épaules d'athlète, Anatoli qui louche derrière les verres épais de ses lunettes, Iefrem plus frisé qu'un agneau, Dobromir avec son sourire d'angelot, et Liuba qui chante en faisant onduler la houle noire de ses cheveux. Dans mes rêves, ils forment une famille lumineuse, une ronde protectrice qui m'accompagne. Où que j'aille, je sais qu'ils seront toujours là. Et ZemZem aussi, avec son mystère et son treillis militaire.

Je prends la main de Gloria et j'essaie de dormir, même si j'ai mal au ventre à cause des baies pas mûres.

28

Lorsque nous arrivons en Roumanie, Gloria a complètement perdu son embonpoint. Elle a des quintes de toux terribles qui me dressent les cheveux sur la tête. Elle a beau me répéter qu'elle est solide comme les arbres, je ne la crois plus. Malheureusement, je ne sais pas dire *jesuimaladéjevoudrévoirunmédecin* en roumain, sans compter que nous n'avons rien pour payer les médicaments.

Alors, pendant qu'elle se repose sur un banc, je décide d'aller au travail, comme elle me l'a appris à *Kopeckochka*. Je m'assieds par terre sur une place où se tient un marché, et je tends la main.

Je n'ai même pas le temps de récolter une pièce qu'un groupe d'enfants m'encercle. Nous ne parlons pas la même langue, mais les insultes n'ont pas besoin de traduction. Ils me disent de dégager de là, que je ne suis pas chez moi. L'un d'eux porte une boucle d'oreille et des bracelets de force : c'est lui qui mène la bande. Il me bouscule. Quand je me relève, je pense à Emil et à Abdelmalik. « Si tu te bats pas, t'es mort ! » Me voilà aussitôt à me balancer d'un pied sur l'autre, poings levés à hauteur du visage. *Han !* un coup en l'air. Et *tchac !* un coup de pied ! Mes jambes cisaillent et fouettent ; j'envoie un uppercut imparable dans la figure de Boucle-d'Oreille.

Le cercle s'écarte. Boucle-d'Oreille est par terre. Il saigne du nez et ça va être ma fête, j'en ai peur. Je me prépare à encaisser, mais au lieu de se ruer sur moi Boucle-d'Oreille se met à rire.

Il rigole tellement en essuyant son nez dans la manche de son pull que tous les autres commencent à l'imiter : là, je n'y comprends plus rien. À la fin, Boucle-d'Oreille lève un pouce qui veut dire « bravo », et il me demande comment je m'appelle.

Je baisse la garde. J'hésite un peu, puis je me décide :
— Koumaïl.

Boucle-d'Oreille me propose de venir avec lui, mais je désigne Gloria qui s'est endormie sur le banc. Il hausse les sourcils :
— Mama ?

Je hoche la tête.

Boucle-d'Oreille réfléchit, puis il sourit. Avec ses mains, il me fait le signe qui veut dire « manger » en répétant « OK, OK ! » dans un français impeccable. Je comprends alors que j'ai un nouvel ami et je cours réveiller Gloria.

C'est ainsi que nous arrivons dans le camp tsigane.

29

Le camp tsigane est un grand rassemblement de caravanes posées dans l'arrondi d'une rivière, non loin d'une usine de ciment qui me fait penser à la fabrique d'ampoules de Souma-Soula. Il y a des chiens, des cochons, des poules, des voitures cabossées, des fils électriques enchevêtrés et du linge qui sèche entre les arbres. Il y a des enfants qui courent et des femmes qui bavardent en tressant des paniers. On voit tout de suite qu'ici les gens savent s'arranger avec les aléas de l'existence.

Le patriarche du camp s'appelle Babik. C'est un homme sage, avec un chapeau noir et des tatouages sur les bras. Il a tant voyagé depuis sa naissance qu'il parle toutes les langues du monde, mieux qu'une encyclopédie.

Il nous invite dans sa caravane avec Boucle-d'Oreille, et nous nous asseyons sur une banquette. Pendant de longues minutes, Babik nous observe sans rien dire.

Il plisse les yeux, surtout quand Gloria tousse, et je me demande ce qu'il attend. Pour faire quelque chose, je lui montre nos passeports. Ça le fait rire. Il dit :

— Les papiers, c'est bon pour les administrations ! Range ça ! Moi, ce qui m'intéresse, c'est d'entendre ton âme.

— Entendre mon âme ?

— Exactement.

— Mais... comment ?

Babik croise ses bras tatoués.

— Tu sais chanter ?

Je secoue la tête d'un air piteux.

— Tu sais jouer de la musique ?

J'explique les leçons de violon de Fatima et mon *crin-crin* désolant qui casse les oreilles.

— Bon..., soupire Babik, tu sais raconter ?

Je souris. Ça, oui, je sais !

— Parfait, je t'écoute, dit-il.

Avec un patriarche comme Babik, il est inutile de mentir, ça saute aux yeux. Alors je dis la vérité sur moi, sur Gloria, sur Jeanne Fortune et sur l'accident de l'express. Je parle de la milice, de la cloche sous l'auvent, de la mort d'Abdelmalik, de la guerre, des eaux empoisonnées du lac, de la poussière de verre qui tapisse les poumons jusqu'au tréfonds ; je parle de chaque étape de notre voyage depuis les rives du fleuve Psezkaya, jusqu'à cette place de village où j'ai cogné le nez de Boucle-d'Oreille, et aussi de chaque personne rencontrée, aimée, puis perdue. La liste est longue, ça dure longtemps, mais pas une fois Babik ne m'interrompt. À la fin, il déclare :

— Ton âme est belle, Koumaïl. Elle est vaillante et fraîche comme la rosée. Mais celle de Gloria est fragile et fatiguée. Il lui faut du repos.

Il se tourne vers Boucle-d'Oreille et lui donne des ordres en tsigane. Puis il ajoute :

— Vous dormirez dans la caravane de Nouka. Vous resterez sous ma protection autant que nécessaire.

Gloria est trop épuisée pour sourire, mais je sens qu'elle est soulagée. Je remercie Babik un million de fois, et Boucle-d'Oreille nous conduit chez Nouka, qui habite la dernière caravane, au fond du campement, sous un saule pleureur.

Nouka est une petite femme, ni vieille ni jeune, avec des cheveux rouges qui dépassent sous un foulard. Elle installe Gloria sur un divan en velours râpé, couvert de poils de chat.

Nouka a des mains décorées d'arabesques dessinées à la peinture. Elle parle russe aussi bien que Babik. Autrefois, elle était sa femme. Maintenant non. Elle n'est plus la femme de personne, parce qu'elle est libre.

Nouka parle aussi le langage des arbres, des nuages, des insectes et de la terre. Rien ne lui est étranger.

Pas même les secrets qui hantent nos esprits. Je n'ai pas besoin de lui expliquer quoi que ce soit au sujet de l'âme de Gloria. Elle pose les mains sur son front, sur sa gorge, sur sa poitrine, et après un moment elle nous dit sur un ton catégorique :

— Sortez, les enfants. Je dois m'occuper de cette femme.

Dans ma vie, j'ai eu plusieurs coups de chance, comme vous avez pu vous en rendre compte. C'est particulièrement vrai ce jour-là, dans la caravane de Nouka sous le saule. Car, si je n'avais pas appris la boxe avec Abdelmalik, je n'aurais pas cassé la figure de Boucle-d'Oreille, alors nous n'aurions pas rencontré Nouka et je crois que Gloria serait morte.

Et, si Gloria était morte, la vérité, c'est que je me serais laissé mourir près d'elle.

30

Au camp tsigane, la vie ressemble à celle que nous avions dans l'Immeuble. Il y a des courants d'air, on se chauffe avec les moyens du bord, les femmes lavent le linge dans des bassines, on se méfie de la police et des crues de la rivière. Surtout, je peux de nouveau jouer comme un enfant.

Mon meilleur ami est Boucle-d'Oreille, mais il y a aussi Angelo, Titi, Sara, Panch et Nanosh. Avec eux, j'apprends à pêcher, à poser des pièges à lapins, à danser, à chanter et à parler en romani. Je découvre les meilleurs endroits pour mendier, et comment escalader le mur de l'usine pour piquer des sacs de ciment, que nous donnons à Babik pour les besoins de la communauté.

Le soir, les hommes font un grand feu. Ils prennent les accordéons, les guitares, les violons, et ils jouent pendant des heures, en ombres chinoises devant les flammes. Je les écoute, assis par terre, immobile comme un caillou. Cette musique me donne envie de vivre et de mourir en même temps. On dirait qu'elle tire mon cœur hors de ma poitrine, comme un hameçon de canne à pêche.

— Tu pleures ? me demande Boucle-d'Oreille.

— Pas du tout ! dis-je en essuyant mes larmes.

La nuit, dans la caravane de Nouka, tout est calme. Je dors dans un petit coin avec le vieux chat qui me refile ses puces, et, pendant ce temps, Gloria lutte contre la maladie, allongée sur le divan en velours.

Nouka connaît les remèdes contre son mal. Elle cueille des plantes au fond des bois, puis elle les laisse mijoter dans une casserole, et l'odeur me rappelle l'époque où Suki et Maya me soignaient. Si j'ai pu guérir, Gloria le pourra aussi, pas vrai ?

Je lui dis :

— Repose bien ton âme, hein ? Prends des forces ! Sois tranquille pour moi, je suis bien ici. Babik est un bon patriarche.

Elle sourit avec les yeux.

Elle n'arrive presque pas à parler.

Certaines fois, elle m'attrape par la main et elle me serre, c'est tout.

31

L'été arrive. Je me baigne dans la rivière et Boucle-d'Oreille m'apprend à plonger. Nous éclaboussons les filles ; elles poussent des cris aussi pointus que des pépiements d'oiseaux. Je nage, ventre collé au fond, jusqu'à ce que l'oxygène me manque.

Je n'ai pas peur de la mort.

Parfois, Boucle-d'Oreille me dit « chut ! » et nous marchons sur la pointe des pieds jusqu'aux roseaux, en surplomb des rochers plats où les filles s'allongent pour bronzer. On reste là, bien planqués, comme à la chasse, et, quand on a de la chance, une des filles enlève le haut de son maillot.

Lorsqu'on retourne vers les caravanes, je me sens bizarre et Boucle-d'Oreille ne dit pas un mot.

Un jour d'août, un enfant naît dans la communauté, et c'est un moment très émouvant pour nous tous. Dans un silence absolu, Nouka s'approche du berceau où le bébé dort. Elle observe la paume de ses mains minuscules. Puis, d'une voix forte, elle annonce :

— L'avenir est beau ! Cet enfant vivra jusqu'à cent ans !

Les cris de joie fusent et nous dansons jusqu'à l'aube pour fêter l'évènement.

Le lendemain, je demande à Nouka de regarder la paume de Gloria. Nouka se penche, elle examine sa main, et pour finir elle murmure quelque chose à l'oreille de Gloria.

Je reste assis contre le divan, cœur battant, attendant que Nouka s'en aille pour connaître notre avenir. Je dis :

— Alors ?

Gloria caresse mes cheveux.

— L'avenir est beau, Koumaïl. Elle a dit que je vivrai aussi longtemps que nécessaire.

— Jusqu'à cent ans ?

— Tant que tu auras besoin de moi.

Soulagé, je souris :

— J'aurai toujours besoin de toi !

— Tatata, soupire Gloria.

Elle m'envoie un baiser et me conseille d'aller jouer, alors je cours rejoindre Boucle-d'Oreille à la rivière.

Oui, l'avenir est beau ! Et mon insouciance d'enfant fait un rempart solide entre moi et l'inquiétude.

Mais, au bout du compte, il faut bien que l'été s'achève.

32

C'est l'automne. Les premiers froids figent les flaques entre les roues des caravanes et il faut rentrer le linge. Bientôt, la neige viendra.

Gloria va mieux, elle a repris des forces et le chien a cessé d'aboyer dans sa poitrine. Nouka n'a plus besoin de cueillir des plantes.

— L'âme de Gloria est encore fragile. Mais vous pouvez reprendre la route, assure-t-elle.

Au camp, chacun se prépare à partir. Les Tsiganes ne restent jamais très longtemps au même endroit ; ils vagabondent sur la terre en suivant le soleil et leur bonne étoile, car c'est leur destin qui veut ça.

— Cap au sud ! soupire Boucle-d'Oreille en rangeant son matériel de pêche.

Je soupire aussi. Le sud, ça signifie que nous allons nous séparer et qu'il va falloir être fort pour surmonter l'épreuve, comme d'habitude.

Boucle-d'Oreille m'emmène une dernière fois dans les champs à la recherche des pièges à lapins. Nous récupérons les collets un par un. Dans le dernier, nous découvrons une petite fouine qui s'est laissé prendre. Elle est morte d'épuisement.

Boucle-d'Oreille desserre le piège. Il me dit :

— Fais attention, Koumaïl, mon frère. Là-bas, dans l'Ouest, il y a des pièges à humains. Si tu te fais prendre, ils t'enferment dans une cage et tu meurs. Comme ça.

Il pose le cadavre de la fouine sur un lit d'herbes. Nous restons silencieux, debout, épaule contre épaule.

Le jour du départ, je sors le violon d'Oleg du barda et je vais voir Babik.

— Les cordes sont bizarres, mais tu sauras en jouer quand même, pas vrai ?

Le patriarche caresse le bois du violon. Il pince les cordes.

— C'est un cadeau de grande valeur, Koumaïl. Chaque fois que nous en jouerons, nous penserons à toi. Ainsi, nous continuerons d'entendre ton âme.

Mon cœur se serre, car je pense à Fatima.

— Si tu vois une très belle fille s'approcher pour écouter le son de ce violon, si elle a les yeux fermés, et qu'elle chante mieux que n'importe qui, dis-lui que je ne l'ai pas oubliée, d'accord ?

Babik sourit et me promet de transmettre le message. J'embrasse ses joues piquantes. Je m'en vais vite pour ne pas pleurer.

Ensuite, les caravanes sont attelées aux voitures, et le cortège démarre. Panch, Titi, Sara, Angelo et Nanosh sont agglutinés contre les vitres pour me voir. Gloria et moi agitons les mains. Boucle-d'Oreille a disparu, c'est mieux comme ça.

Nous nous dépêchons de partir en direction de l'Ouest, la gorge plombée, avec ce sentiment terrible d'abandonner encore quelque chose de nous-mêmes au bord du chemin. Je me sermonne en silence : « Allons, pas de nostalgie, pas de mélancolie, nom de Dieu ! Regarde droit devant toi, mon garçon, l'avenir est beau ! » Et je rassemble tout ce qui me reste d'espoir pour imaginer la tour Eiffel sous la neige, et ma mère qui m'attend près de l'ange doré du Mont-Saint-Michel.

Au pied d'une grande côte, je réalise soudain que je marche plus vite que Gloria. Je me retourne et je dis :

— Le barda n'est plus très lourd, maintenant, et j'ai grandi. Laisse-moi le porter !

Elle me dévisage.

— Tatata ! Tu en es sûr ?

Je lui montre mes bras qui ont forci et mes jambes qui ont pris des centimètres. Gloria ouvre des yeux ronds :

— Ça alors ! Tu as raison !

Sans hésiter, elle pose le barda par terre.

Je suis si fier de le charger sur mes épaules ! Plein d'enthousiasme, je déclare :

— Bientôt, je serai aussi costaud que Fotia et Oleg !

— Et tu auras des moustaches aussi grandes que celles de Vassili ! ajoute Gloria en riant.

Je ris aussi, car j'ai du mal à m'imaginer avec les joues piquantes. Je demande :

— Tu crois que ma mère me reconnaîtra ?

— Une mère reconnaît toujours son fils, Koumaïl.

Je gravis la montée sans faiblir, et, lorsque j'arrive en haut, une inquiétude me saisit. J'attends Gloria pour glisser ma main dans la sienne :

— Même si je deviens grand, j'ai toujours besoin de toi, hein ?

Gloria ne répond pas. Elle marche en respirant lentement, comme si elle voulait économiser l'air, et je prie pour que Nouka ne se soit pas trompée sur son avenir.

— Ce dont chacun a besoin, Koumaïl, c'est d'un bon endroit pour vivre. Allez, raconte-moi encore ce que tu sais sur la France.

Je marche à son rythme le long de la route. Je parle, je parle, je parle. Chaque mot fait surgir des merveilles à l'horizon.

33

Le dernier souvenir de mon enfance est le plus douloureux aussi. J'aimerais l'oublier, l'arracher de ma mémoire comme une mauvaise herbe dans un jardin, mais c'est impossible.

Alors voilà. Ça se passe près de la frontière hongroise, page 47 de mon atlas vert, et c'est un routier grec qui nous laisse là, sur un grand parking, au bord d'une autoroute. Gloria s'était arrangée avec lui, pourtant. Mais maintenant il a peur des contrôles douaniers : il ne veut plus nous cacher derrière le rideau de sa couchette, du coup il nous abandonne à notre sort, *inch Allah*.

Il fait nuit et le vent est froid. Pour nous abriter, nous entrons dans la station-service.

J'aime bien cet endroit, inondé de lumière, où n'importe qui peut utiliser gratuitement les toilettes, boire au robinet des lavabos, se réchauffer sous le sèche-mains électrique, et admirer les présentoirs de bonbons. C'est comme ça dans les pays libres et démocratiques : vous entrez, personne ne vous demande rien, et vous pouvez vous promener entre les rayons, tranquille. Si vous êtes fatigué, vous pouvez vous reposer sur les chaises en plastique, ça ne dérange pas.

— Assieds-toi, me dit Gloria. Ne bouge pas. Fais comme si tu n'existais pas. Je vais essayer de m'arranger avec quelqu'un d'autre, OK ?

— OK.

Si vous voulez mon avis, Gloria est la reine de l'arrangement. D'abord, elle inspire confiance. Ensuite, elle parle bien poliment. Et, après, les gens sont toujours d'accord pour nous aider, comme par exemple l'homme du *Matachine*, et tous les conducteurs de charrettes, de voitures, d'autocars ou de poids lourds qui ont accepté de nous emmener du Caucase jusqu'ici.

Je l'observe tandis qu'elle s'approche du comptoir où les chauffeurs de camion boivent des cafés. De là où je suis, sur ma chaise en plastique, je n'entends pas ce qu'elle leur dit. Ce que je vois, c'est son sourire, sa façon d'être belle et rassurante. Les chauffeurs la regardent avec leurs gros yeux d'hommes. Ils s'écartent pour lui laisser une place au comptoir, et il y en a un qui commande un café pour elle. Après, ils rigolent bien, tous ensemble, et je constate que Gloria a les joues rouges à cause du café brûlant.

Ils discutent longtemps tandis que je respecte la consigne sur ma chaise, sans bouger, discret comme un fantôme. Je réfléchis à des trucs qui me passent par la tête et à tout ce que nous pourrons faire quand nous serons en France, comme manger des croissants au beurre ou du fromage camembert. Je pense à ça parce que j'ai faim, bien entendu, et j'aimerais que Gloria se dépêche, sans quoi je vais tourner de l'œil.

Enfin, je la vois bras dessus bras dessous avec un des chauffeurs : ils se dirigent vers la sortie de la station-service. Vite, j'attrape le barda pour la suivre, mais elle me fait un signe autoritaire qui signifie : « Non, reste là ! Je reviens ! »

Contrarié, je pose le barda à mes pieds et je recommence à attendre. Sauf que maintenant je me sens mal à l'aise, seul au milieu des adultes qui vont et qui viennent. Pour me donner un air tranquille, je sors mon catalogue du barda.

Je l'ai tellement feuilleté que les pages menacent de se détacher. À force, je connais par cœur les moindres détails sur la prise de la Bastille, sur Napoléon qui est mort à Sainte-Hélène, sur le métropolitain et sur Coco Chanel, symbole de l'élégance à la française. Je saurais utiliser les toilettes publiques appelées « sanisettes », reconnaître une 2 CV et les billets de cent francs avec la tête d'Eugène Delacroix. Je pourrais vous dire les heures d'ouverture des Galeries Lafayette et la vitesse de pointe du TGV

Paris-Lyon qui est le fleuron de la technologie. Je pourrais même réciter la liste des châteaux de la Loire : Chambord, Azay-le-Rideau, Chenonceaux, Amboise... Mais à quoi bon, si Gloria me laisse jusqu'à la fin des temps dans cette station-service ?

Que peut-elle fabriquer avec ce chauffeur de camion, nom de Dieu ?

Au moment où l'angoisse devient insupportable, Gloria surgit par la porte. Elle est seule, essoufflée, les cheveux défaits, et elle a un paquet de gâteaux secs à la main. Je bondis sur mes pieds. Je dis :

— J'ai cru que tu m'avais oublié !

— Tatata, Monsieur Blaise ! Tu sais bien que je ne t'oublierai jamais ! Hein ? Tu le sais ?

Elle me donne le paquet de biscuits et elle m'explique que tout est arrangé : le chauffeur du camion est d'accord pour nous emmener en France. Il nous attend pour partir.

Je range mon catalogue et les biscuits dans le barda. Gloria me prend fermement par les épaules. Elle dit :

— Le problème, c'est qu'il n'y a pas assez de place pour nous deux en cabine.

— Comment on fait, alors ?

— Ne t'inquiète pas, on va tricher un peu. Je vais rester avec le chauffeur à l'avant et toi, tu vas monter en douce dans sa remorque.

— Ah ?

— Oui. C'est le seul moyen.

Elle tremble. Je lui trouve un air bizarre, mais ce n'est pas le moment de traîner. Avec des gestes agités, elle m'explique ce que je dois faire :

— Tu marches derrière moi, discrètement, jusqu'au camion. Il ne faut pas que le chauffeur te voie, c'est bien compris ?

— Compris.

— Ensuite, tu te faufiles dans la remorque et tu te caches au fond. Là, tu ne bouges plus jusqu'à ce qu'on arrive en France. C'est bien compris ?

Je hoche la tête, même si cet arrangement ne me plaît pas.

Gloria récupère son passeport de Jeanne Fortune dans le barda et m'ordonne de garder le reste. Si j'ai froid, je m'enroulerai dans la couverture de Dobromir. Si je m'ennuie, j'aurai mon atlas et mon catalogue, OK ?

— OK.

Elle enfonce mon passeport dans la poche de mon blouson, celle qui se ferme avec un bouton, en me répétant d'en prendre soin, car c'est la chose la plus précieuse que je possède.

— Tu sais ce que tu dois dire si on te le demande ?

— Je dis la vérité : « Je m'appelle Blaise Fortune et je suis citoyen de la République de France. »

— Tu sais le dire en français ?

— Oui ! Et toi ?

— Moi, ça ira, dit-elle en me faisant un clin d'œil. Tu sais bien que je m'arrange toujours !

Gloria me serre très fort contre elle et j'ai l'impression d'entendre son cœur tambouriner dans mes propres entrailles, comme si nous n'étions qu'un. Elle m'embrasse le front, les joues, avec une sorte d'urgence si inhabituelle que ça me donne le tournis.

— Allez, Monsieur Blaise, on y va ! J'ai dit au chauffeur que j'avais besoin d'aller aux toilettes avant de partir, il va se demander ce que je fabrique, hein !

Elle trottine jusqu'à la porte et je la suis, à quelques pas de distance.

Nous traversons le grand parking où stationnent des dizaines de poids lourds. Sans quitter Gloria des yeux, je passe derrière des haies, je me faufile entre les roues. Enfin, elle s'arrête près d'un gros camion boueux immatriculé en Espagne. C'est là.

Elle est au pied de la cabine où le chauffeur l'attend. Elle se tourne vers moi. Elle m'indique l'arrière. Je lui réponds en levant la main, les doigts en V pour dire « victoire ». Gloria m'imite. Je souris et j'y vais sur la pointe des pieds.

Lorsque je parviens à faire basculer le loquet, une odeur suffocante me saisit à la gorge. Ce camion est une bétaillère et, si vous voulez mon avis, on ne pouvait pas tomber plus mal, mais ce n'est pas le moment de faire des manières.

Je me glisse à l'intérieur et, *clang*, je claque le hayon.

Il fait si noir que je ne vois pas le bout de mon nez ; impossible de savoir exactement à quelle sorte d'animaux j'ai affaire. J'entends des raclements, des grognements, des respirations. À tâtons, je progresse en me cognant aux montants des barrières. Au moment où je heurte la paroi du fond, le moteur se met en route.

Je pose le barda et je m'assieds sur le plancher qui vibre. Ça y est, nous partons ! Je m'enroule dans la couverture en peau de mouton, puis j'ouvre le paquet de biscuits, et c'est un grand réconfort pour mon estomac qui crie famine. Je déguste chaque bouchée. Si vous êtes seul dans les ténèbres et que ça pue fort dans vos narines, il faut puiser des forces dans le moindre détail, sinon vous coulez à pic et c'est le désespoir.

Le roulis du camion me berce et je me dis que Gloria a raison : il faut toujours avoir confiance, et suivre sa route comme le font les Tsiganes, sans souci des frontières.

Je me dis que, dans vingt-quatre heures, ce sera la France ! Notre ultime refuge ! La patrie des droits de l'homme, de Victor Hugo et de Charles Baudelaire !

Oui, dans vingt-quatre heures, ce sera la fin du voyage et le début d'une vie meilleure. Dans vingt-quatre heures, j'emmènerai Gloria par les petites rues paisibles de Montmartre. Nous descendrons les Champs-Élysées en nous empiffrant de croissants au beurre. Et là, enfin, nous serons libres et heureux. Pour de bon.

34

Mais, comme vous le savez, les rêves ne sont souvent que des rêves, et je ne suis pas allé à Montmartre. Je n'ai pas guidé Gloria dans le dédale des petites rues. Nous n'avons pas descendu les Champs-Élysées et aucun croissant au beurre ne nous attendait à l'arrivée.

J'ai été découvert au milieu de la cargaison de porcs, le 13 décembre 1997, par une patrouille de douaniers, qui contrôlait les poids lourds sur l'autoroute A4 près de Sarreguemines, en Moselle.

Ils cherchaient de la drogue ou des produits de contrebande, que sais-je ? Quand ils ont ouvert le hayon de la remorque, c'est moi qu'ils ont vu. Je dormais, la tête sur le barda, et j'avais fini par oublier l'odeur épouvantable des excréments. Quand on n'a pas le choix, on s'habitue aux pires choses, pas vrai ?

Je n'avais rien bu depuis la station-service. Ma gorge était en feu, mes lèvres desséchées. Le chauffeur du camion n'en revenait pas, il ouvrait des yeux comme des soucoupes, et il gueulait des jurons en espagnol.

Les douaniers m'ont tiré par le col de mon pull pour m'obliger à sortir de la bétaillère. Je n'étais pas trop réveillé, si bien que je n'ai pas eu le temps d'attraper le barda.

J'ai atterri sur le sol français et j'ai cherché Gloria.

Elle n'était pas là.

Je me suis rué sur le chauffeur en le suppliant de me dire où elle était, mais il ne comprenait rien ; je puais tellement qu'il reculait en se bouchant le nez. Puis les douaniers l'ont poussé vers une voiture.

Moi, je hurlais « Gloria ! Gloria ! » et il n'y avait pas de réponse. Seulement le vacarme de la circulation sur l'autoroute et le vent.

Les douaniers m'ont traîné vers un fourgon. Je me débattais tellement en criant « Gloria », qu'ils m'ont attaché les poignets avec des menottes ; c'est comme ça quand vous êtes confronté aux autorités.

Ils m'ont forcé à grimper dans le fourgon, et d'un coup j'ai pensé à la petite fouine morte et à l'avertissement de Boucle-d'Oreille, mais c'était trop tard : j'étais tombé dans leur piège à humains. *Clang,* la porte du fourgon s'est refermée sur moi et nous avons quitté l'autoroute en prenant à travers la campagne. Où était Gloria ? Mais où était-elle ? Ma tête était pleine de vide et le métal des menottes me sciait la peau. Je me suis écroulé en pleurant : *Ossecourédémoi !*

Plus tard, entre deux hoquets, j'ai expliqué : «*jemapèlblèzfortunéjesuicitoyendelarépubliquedefrancecélapurvérité.* »

J'ai répété. Une fois, deux fois, trois fois. Comme une prière, comme une chanson, mais c'était pire que de crier dans le désert... Les douaniers soupiraient. Ils avaient l'air accablés.

J'ai posé la tête sur mes genoux.

Gloria avait disparu. Peut-être qu'elle était tombée du camion ? Peut-être qu'elle se cachait ? Peut-être qu'il s'était produit quelque chose d'horrible pendant que je dormais au milieu des porcs ?

J'avais douze ans, le barda était resté dans la bétaillère, et je devais m'arranger sans Gloria dans le pays des droits de l'homme et de Charles Baudelaire.

Je n'avais jamais eu aussi peur de ma vie.

35

Au début, je n'ai rien vu de la France, à part des murs, des portes, des grilles, des dortoirs et des couloirs.

Des gens me parlaient. Je ne comprenais pas un traître mot. On m'offrait à manger, mais je n'avais jamais faim. C'est la tristesse qui fait ça, et je passais mon temps à retenir mes larmes.

J'attendais Gloria, vous comprenez ? J'espérais la voir apparaître à chaque instant, derrière chaque porte, chaque coin de mur. Mais non.

Quand tu as mal aux pieds, tu peux imaginer que ce sont les pieds de quelqu'un d'autre, évidemment. Mais, quand tu as trop de chagrin, impossible de croire que ce n'est pas ton cœur qui étouffe, là, dans ta poitrine. Alors je restais assis dans mon coin, paralysé, sans parvenir à combattre le désespoir qui me grignotait l'âme.

36

Finalement, on m'a transféré d'une zone d'attente vers un centre d'accueil, et c'est là que Modeste Koulevitch est venu.

C'était un homme aux cheveux blancs, avec un menton flasque qui faisait des plis sur le nœud papillon de son costume. On aurait dit un chef d'orchestre. Je me suis demandé ce qu'il faisait là ; est-ce qu'il s'était évadé de l'Opéra national comme Mademoiselle Talia ?

Il m'a dit : « Bonjour, comment ça va ? » En russe ! Enfin quelqu'un à qui parler ! Ça m'a fait tellement de bien que j'ai éclaté en sanglots.

— Eh bien, eh bien…, a dit Modeste Koulevitch en me tapant dans le dos comme si j'avais avalé de travers.

J'ai essuyé mes yeux et il m'a expliqué qu'il était interprète, et qu'il avait besoin de comprendre mon histoire pour la traduire en français avec tout le vocabulaire courant : c'était son métier.

— Comment tu t'appelles ? a-t-il demandé.

— Je m'appelle Blaise Fortune, j'ai dit entre deux reniflements.

— Ça, d'accord, je sais. Mais ton vrai nom russe, c'est quoi ?

— Je n'ai pas de vrai nom russe, j'ai dit. Je m'appelle Blaise Fortune, c'est la pure vérité.

— Bon, a-t-il soupiré, et il m'a conduit dans un bureau équipé d'un ordinateur.

Nous avons passé une journée entière devant l'écran. Je lui parlais en version originale, et lui, il tapait les mots en traduction. J'ai tout raconté de A à Z, comme dans la caravane de Babik, sauf que Modeste me réclamait davantage de détails. Lui aussi, d'une certaine façon, voulait entendre mon âme.

Souvent, il s'arrêtait pour s'éponger le front. Il soufflait :

— Pfiou ! Il fait drôlement chaud ici, ou quoi ?

Il tirait sur son nœud papillon. Son menton tremblait comme de la gelée, et, chaque fois que je le regardais, je pensais à la phrase que Gloria m'avait dite dans le village des paysans, selon laquelle il ne faut jamais désespérer du genre humain.

À la fin de la journée, l'essentiel de mon histoire se trouvait dans l'ordinateur, écrite noir sur blanc. J'ai demandé à Modeste s'il savait où était mon barda avec mes choses précieuses. Il ne savait pas. Il m'a promis de se renseigner auprès des services compétents, puis il est parti.

Grâce à lui, l'administration a enfin compris pourquoi mon passeport avait été arrangé par Monsieur Ha. C'était du bon travail, certes, dans les règles de l'art et tout, mais pas suffisamment parfait pour tromper les experts : c'était ça qui leur avait mis la puce à l'oreille. Pourtant, ce passeport était mon véritable passeport, puisque ma mère l'avait confié à Gloria le jour du Terrible Accident !

— D'accord, a dit Modeste quand il est revenu, mais les gens de l'administration ont besoin de preuves. Ton histoire est tellement extraordinaire !

Moi, je ne voyais pas ce qu'il y avait d'extraordinaire là-dedans. C'était simple à comprendre, seulement les gens de l'administration manquent d'imagination, sans doute. Quand vous leur parlez du verger de Vassili, au lieu de voir les pommes, les abricots et les poires magnifiques, ils veulent un numéro, une adresse, des dates, des tas de chiffres.

— Des preuves scien-ti-fiques, martelait Modeste en frappant la table du plat de la main.

Je le regardais avec des yeux de merlan frit parce que je ne voyais pas ce qu'il voulait dire.

— D'après toi, cet accident de train s'est produit dans le Caucase… Mais où, précisément ? C'est grand, le Caucase !

Je haussais les épaules. Pour sûr que le Caucase était grand ! Raison de plus pour le laisser là où il était et pour se concentrer sur des problèmes moins difficiles : retrouver Gloria et ma mère, par exemple.

— C'est pareil ! s'énervait Modeste. Jeanne Fortune, Gloria Bohème : ça paraît totalement fantaisiste ! On dirait des noms inventés, tu comprends ?

Je restais bouche bée.

— Bon, soupirait Modeste, et il semblait désolé.

Néanmoins, à force de vérifications et d'acharnement, l'administration a mis la main sur des articles de journaux et des rapports militaires qui parlaient du déraillement d'un express dans le Caucase.

— Un attentat terroriste revendiqué par les indépendantistes juste au début de la guerre, m'a dit Modeste avec un grand sourire. Les dates ne concordent pas vraiment, mais bon.

— C'est une preuve scientifique ?

— En quelque sorte.

— Ça veut dire que vous me croyez, alors ?

— Ça veut dire que les recherches se poursuivent.

— Pour retrouver ma vraie mère ?

— Oui.

— Et Gloria ?

Modeste Koulevitch s'est épongé le front. Il m'a expliqué que le chauffeur de la bétaillère avait été interrogé. Il confirmait qu'il avait bien pris une femme dans sa cabine sur le parking à la frontière hongroise.

— D'après lui, c'était une prostituée.

— Il ment ! j'ai crié.

— Peut-être. En tout cas, il n'a pas su son nom. Il dit qu'elle a fichu le camp pendant qu'il faisait sa pause en Allemagne.

— Il ment ! j'ai répété.

— C'est possible, a dit Modeste. Mais, tant qu'on n'a pas de preuves, on ne peut pas en être sûr.

Moi, je savais que l'Espagnol avait menti, car Gloria n'était pas une prostituée, et surtout elle ne m'aurait jamais abandonné dans cette remorque pleine de porcs, c'était évident. Donc, le mystère restait entier et je ne pouvais rien faire. Je n'avais plus qu'à patienter sagement dans le centre d'accueil en attendant. Mais quoi ?

— Eh bien, a dit Modeste, en attendant qu'on sache qui tu es vraiment, et si la France peut te garder ou non.

D'après les lois de la République, j'étais considéré comme «mineur étranger isolé». C'était comme ça, et Modeste Koulevitch m'a expliqué que la France ne pouvait pas laisser entrer n'importe qui sur son territoire sous prétexte que c'était la patrie des droits de l'homme. Il fallait faire des enquêtes. Sinon, ce serait trop facile, et tous les enfants des pays en guerre déferleraient à nos frontières pour réclamer l'impossible.

— Tu comprends ?

Je ne comprenais pas, mais j'ai dit « OK » pour qu'il me fiche la paix.

Il m'a fallu raconter encore, et donner toujours plus de détails, et remplir des millions de papiers. Modeste transpirait énormément. Il disait que j'allais le rendre fou à force de répéter que j'étais citoyen de la République de France et que c'était la pure vérité.

Moi, j'attendais Gloria.

Je me postais près d'une fenêtre, les yeux braqués vers l'horizon, même si, au foyer, l'horizon s'arrêtait au pied des immeubles d'en face.

Je regardais le ciel. J'essayais de me calmer. Je me disais : où qu'on soit sur la terre, le ciel est toujours le même. C'est une chose immuable, comme les étoiles, le soleil, les planètes. Et j'imaginais Gloria en train de regarder le même ciel que moi, et ça me consolait un petit peu.

Et puis, un jour, Modeste Koulevitch m'a lu l'article 20 de la Convention relative aux droits de l'enfant : ça voulait dire que j'avais obtenu la protection de l'État.

— Tant qu'on ne trouve personne qui te connaît et qu'on ignore d'où tu viens précisément, on est coincé, a-t-il ajouté.

On m'a envoyé dans un nouveau foyer situé dans la ville de Poitiers, qui est le chef-lieu du département de la Vienne, et, là, j'ai été inscrit à l'école. Ça aussi, c'était la loi. Et, si vous voulez mon avis, c'était une bonne idée, parce que, sinon, j'aurais continué d'attendre Gloria comme un fou et le désespoir m'aurait tué.

37

En France, l'école ne ressemble pas à l'université des pauvres, ni même à l'école de Fatima, où tout le monde faisait des prières pour Allah sur son tapis. En France, personne n'aurait l'idée de vous apprendre les morceaux du bœuf, la liste des saints martyrs ou les règles du poker. Non. Ce qu'il faut, c'est d'abord apprendre la langue. Et, cette fois, c'était autre chose que les phrases en phonétique du catalogue de Monsieur Ha.

Dans ma classe, nous étions une douzaine de « mineurs étrangers isolés ». La plupart venaient du Maroc ou de Tunisie, d'autres étaient noirs comme Abdelmalik, et ils avaient laissé leurs familles à la page 90 de mon atlas vert, c'est-à-dire en Afrique. Certains étaient nés dans d'autres régions du monde, comme la Colombie ou les Philippines, car notre planète ne manque pas d'endroits dangereux pour les enfants, pas vrai ?

Nous n'avions pas besoin de parler pour nous comprendre : chacun de nous avait subi les aléas de l'existence, la faim, le passage des frontières en pleine nuit, la peur des contrôles, le bruit des kalachnikovs, et cette détresse qui vous broie les tripes quand vous êtes seul au monde. Nos souvenirs et nos sentiments agissaient comme du ciment : nous étions aussi solidaires que les briques d'un même mur. Et ça, c'était très important, parce que personne ne peut parvenir à vivre sans la chaleur humaine.

Sur la photo que j'ai gardée de cette époque, on nous voit tous réunis : Malik, Anissa, Fatou, Samy, John-Aristide, Sabado, Wema, Jamal, Leandro et Prudence. Derrière nous, il y a notre professeur, Mme Georges, qui sourit avec une fierté rayonnante. Grâce à elle, nous sommes devenus en quelques mois des spécialistes de la conjugaison et des verbes du premier groupe.

Le temps a passé.

J'ai eu treize ans, et je vivais toujours au foyer de Poitiers, sous la protection de l'Aide à l'enfance.

Les services compétents n'avaient pas retrouvé mon barda : il était définitivement perdu, si bien que je ne pouvais montrer à personne le papier officiel concernant le Mont-Saint-Michel et ma mère. J'imaginais que les porcs, qui sont des animaux omnivores, avaient peut-être mangé les pages de mon atlas et de mon catalogue, allez savoir ?

Désormais, je pouvais réciter les poèmes de Charles Baudelaire presque sans accent : « Homme libre, toujours tu chériras la mer !… » J'étais capable de faire des phrases complexes, d'employer les adjectifs, et la liste des rois de France n'avait plus de secret pour moi. Pourtant, je n'étais toujours pas officiellement français et Jeanne Fortune restait introuvable. Selon Modeste Koulevitch, qui me rendait visite de temps en temps, c'était le *statu quo*.

— Ça veut dire quoi ?

— Ça veut dire que rien ne bouge, Blaise. Tu n'es ni français ni rien.

— OK.

Ce n'était pas nouveau pour moi : j'avais l'habitude d'être un fantôme. Un simple courant d'air.

Quant à Gloria, sa disparition restait un mystère, et mon cœur se brisait en mille morceaux quand je pensais à elle. J'avais peur qu'elle soit morte à cause du chien dans sa poitrine, ou qu'elle soit prisonnière d'un piège à humains, quelque part en Europe. Concernant les adultes, les lois du monde sont beaucoup plus strictes pour la bonne raison qu'ils ne sont pas mineurs, et Mme Georges faisait toujours une tête de six pieds de long quand je lui parlais de Gloria.

— Elle a peut-être été refoulée, disait-elle.

— Ça veut dire renvoyée dans le Caucase ?

— Oui.

— Même si elle est malade ?

— Oui.

— Même si elle risque de mourir sous les décombres ?

— Oui.

Je trouvais ça injuste pour Gloria, et j'étais terrifié à l'idée de ne jamais la revoir. J'avais tant de fois rêvé à notre vie paisible, j'avais tant de fois imaginé la belle fête de retrouvailles avec Emil, Stambek, Fatima et tout le monde, que ça me révoltait.

La nuit, je mordais mon oreiller pour qu'on ne m'entende pas hurler.

Mon seul espoir était la prédiction de Nouka. Les Tsiganes sont très forts pour les choses magiques, et je me raccrochais à l'idée que Gloria ne pouvait pas mourir tant que j'avais besoin d'elle. Je préférais croire qu'elle avait retrouvé ZemZem ou bien qu'elle était à l'abri dans la cabane du verger de Vassili. Je l'imaginais heureuse, faisant bouillir l'eau dans un samovar neuf. Je la voyais en train de grimper dans un arbre ou de conduire un camion. Je l'entendais rire avec ses cinq frères, qui étaient revenus vivants de la guerre... Je m'inventais des histoires pour rendre la réalité supportable, comme elle me l'avait appris.

En 1999, l'année de mes quatorze ans, l'ordinateur de notre salle de classe a été relié à Internet. C'était un évènement très important d'après Mme Georges, et elle était ravie de nous initier aux nouvelles technologies, qui seraient notre passeport pour le nouveau millénaire.

— Avec cet outil, vous saurez tout sur tout ! a-t-elle déclaré.

Nos yeux brillaient, car nous étions tous en quête de quelque chose ou de quelqu'un de par le vaste monde, et Jamal a demandé s'il était possible de savoir des choses sur les personnes mortes dans la mer Méditerranée. C'était à cause de son frère qui s'était noyé pendant leur voyage vers l'Europe. Mme Georges a fait une tête de six pieds de long avant de préciser :

— Avec cet outil, vous saurez *presque* tout sur tout.

Elle nous a expliqué comment nous en servir, et j'ai décidé de faire ma propre enquête pour sortir du *statu quo*.

Le premier mot que j'ai tapé dans le moteur de recherche était « Gloria ».

Résultat :

— une marque de lait concentré
— une actrice américaine morte depuis belle lurette
— des paroles de prières chrétiennes en latin
— une foule de restaurants ou d'hôtels

Pas l'ombre de *ma* Gloria, même en ajoutant «Bohème» dans le champ de saisie, ce qui renvoyait à une région d'Europe, à une chanson et à un poème d'Arthur Rimbaud.

Triste comme les pierres, j'ai tapé une deuxième requête : «Jeanne Fortune», et c'était pire parce que personne ne semblait porter ce nom, ni au Mont-Saint-Michel ni nulle part en France.

Finalement, j'ai tapé «ZemZem Dabaïev». Là, enfin, il y avait quelque chose : des articles de journaux en russe qui disaient que ZemZem était un chef de guerre, un terroriste, un monstre sanguinaire armé jusqu'aux dents et qu'il avait tué des gens innocents. J'ai compris que c'était une erreur, qu'il ne s'agissait pas de la même personne, car le ZemZem de Gloria n'était pas un monstre, comme vous le savez. Le ZemZem de Gloria avait sauvé des gens, il avait couru chercher le camion-citerne, et il n'aurait jamais fait de mal à une mouche.

Écœuré, j'ai quitté l'écran. Je suis allé voir Mme Georges et j'ai crié que j'étais déçu par les nouvelles technologies. À quoi bon être moderne, si le millénaire ne m'offrait même pas un peu d'espoir, hein ?

— Tout ce qu'il y a là-dedans, c'est des mensonges !

J'ai claqué la porte de la salle de classe, et je suis allé me planquer dans un coin, avec une boule de rage au fond du ventre.

Je m'étais assis sur un mur au bout de la cour qui entoure le foyer, près du terrain de sport. J'en avais ras le bol de tout. Même de mes amis, même de Modeste Koulevitch, même de Mme Georges et de sa gentillesse. Ce que je voulais, c'était Gloria. Elle seule savait la vérité ! Elle seule pouvait m'aider à retrouver ma mère, elle seule pouvait apporter la preuve scientifique que j'étais français. Et, surtout, elle seule pourrait apaiser mon angoisse en me prenant dans ses bras, contre son embonpoint.

J'ai pleuré longtemps en frappant le mur avec mes pieds, et soudain j'ai senti une présence dans mon dos. Quand je me suis retourné, j'ai vu Prudence qui me regardait. J'ai dit :

— Qu'est-ce qu'il y a ? Tu veux ma photo ?

J'étais de très mauvaise humeur.

Prudence a souri. Elle s'est approchée de moi.

— Si je m'assieds là, tu ne vas pas me mordre, quand même ?

J'ai haussé les épaules, et elle s'est assise.

J'étais surpris parce que Prudence était la fille la plus discrète et la plus timide de la classe. Je ne savais pratiquement rien d'elle, sauf qu'elle venait du Liberia, au bord du golfe de Guinée. Je me souvenais que c'était à la page 91 de mon atlas vert.

Elle est restée silencieuse pendant un long moment. Et, brusquement, elle m'a demandé si je voulais jouer à un jeu.

— Un jeu ? Quel jeu ?

— Un concours, a répondu Prudence.

— Un concours de quoi ?

— Un concours de malheurs.

Je l'ai dévisagée avec curiosité, et elle m'a expliqué :

— C'est simple : chacun dit un truc malheureux qui lui est arrivé dans sa vie. Celui qui gagne, c'est celui qui a eu le plus de malheurs.

J'ai trouvé ça marrant. J'ai dit :

— OK.

Et on a joué.

Malheur contre malheur.

Pendant longtemps, assis côte à côte sur le mur devant le terrain de sport.

Tout y est passé, depuis notre plus lointain souvenir. Et la pure vérité, c'est que Prudence a gagné haut la main. C'était pas croyable tout ce qui lui était arrivé en seulement treize ans d'existence ! Une liste à vous dresser les cheveux sur la tête, avec des massacres, des fuites dans la jungle hostile, des piqûres de bêtes venimeuses, des têtes coupées et des cicatrices sur ses bras qui prouvaient des actes de torture. À la fin, j'étais bouche bée. Elle a fait le signe de la victoire, les doigts en V, et des larmes ont encore dégouliné de mes yeux, parce que ça m'a rappelé la dernière fois que j'avais vu Gloria, sur le parking des poids lourds.

Prudence m'a tendu un mouchoir en papier.

Après ça, on est devenus inséparables, elle et moi. Pas vraiment amoureux comme quand j'étais petit. Juste inséparables, vous comprenez ?

38

Dans la vie, quand vous êtes inséparable avec quelqu'un, ça vous rend très heureux. Il suffit de tomber sur la bonne personne, et ça, c'est le hasard qui le veut, ou bien Allah si on y croit.

Pour moi, Prudence était la bonne personne et j'ai recommencé à me dire que j'avais de la chance. Car, si je ne m'étais pas endormi au milieu des porcs, si les douaniers ne m'avaient pas embarqué, si l'article 20 n'avait pas existé, et si la famille de Prudence n'avait pas été découpée en morceaux, aucun de nous ne serait arrivé à Poitiers, et nous ne nous serions jamais rencontrés, pas vrai ?

39

L'an 2000 est passé. J'ai eu quinze ans. Puis seize et dix-sept.

En dehors des coups de cafard qui me terrassaient à l'improviste quand je pensais à Gloria, je m'habituais à ma vie locale, avec la bonne baguette fraîche du matin, le café serré de Mme Georges dont l'odeur embaumait la classe, le feu d'artifice du 14 Juillet et le passage du Tour de France.

Je m'habituais à la paix et je préparais l'examen du baccalauréat.

Je marchais dans les rues, main dans la main avec Prudence, en attendant d'être majeur pour obtenir ma nationalité française et cesser, enfin, d'être un fantôme.

Officiellement, c'est arrivé le 30 décembre 2003, et je m'en souviens parce qu'il faisait très froid sur le parvis de la préfecture. Modeste Koulevitch et Mme Georges m'avaient accompagné, et Prudence était là aussi, bien entendu. Ils m'ont embrassé chacun à son tour comme si j'avais accompli un exploit sportif, un genre de record olympique ou quelque chose comme ça. Je tenais dans ma main une carte d'identité et un passeport flambant neufs.

— C'est formidable ! pleurnichait Mme Georges.

Et Modeste m'a tapé dans le dos encore et encore tellement il était content pour moi. Il faut dire que, depuis quelque temps, les lois de la République avaient changé. La France, c'était toujours «Liberté Égalité Fraternité», mais avec des tas d'aménagements spéciaux qui rendaient l'obtention des papiers de plus en plus difficile. C'était la politique de l'immigration qui voulait ça, et aussi la peur, comme d'habitude. Mais, pour moi, c'était fait ; on pouvait respirer.

Nous sommes allés dans un bistrot pour fêter l'évènement et Mme Georges a commandé une coupe de champagne. Puis elle m'a demandé ce que j'allais faire de ma liberté toute fraîche.

Prudence s'est appuyée contre mon épaule. Elle, elle le savait parce que je lui avais raconté mes rêves : nous avons échangé un sourire.

40

Prudence s'était endormie. Moi aussi, d'ailleurs, la tête contre la vitre de l'autocar, et le chauffeur a dû nous secouer pour nous dire qu'on était arrivés.

C'était marée basse. L'immense parking était pratiquement désert, inondé de flaques grises. Des mouettes volaient partout, en poussant des cris dans le ciel uniforme de janvier. Devant nous, le Mont-Saint-Michel semblait irréel, planté dans les sables, entouré d'un filet de brume qui montait de la mer.

Prudence a pris ma main.

Il s'est mis à pleuvoir de grosses gouttes lourdes quand nous sommes entrés dans la ville fortifiée. Nos capuches rabattues, nous avons couru nous abriter sous l'auvent d'une boutique.

— Eh ben…, a dit Prudence en regardant les trombes d'eau balayer les pavés.

J'étais venu enquêter sur le terrain, avec la ferme intention d'interroger les habitants au sujet de ma mère. Un par un s'il le fallait ! D'après l'annuaire, ils n'étaient pas nombreux : une quarantaine. Ça semblait facile, mais une fois sur place, dans ces ruelles étroites, je me suis senti indécis.

Des odeurs de friture flottaient dans l'air humide. La boutique de souvenirs vendait un fouillis de trucs en plastique, fabriqués en Chine. C'était des attrape-nigauds, mais j'ai eu envie d'acheter quand même quelque chose.

Quand nous sommes sortis de la boutique, la pluie s'était arrêtée et Prudence m'a entraîné vers les escaliers qui menaient au sommet.

J'ai levé les yeux. Entre les toits moussus, la statue de l'ange doré nous surveillait.

D'en haut, la vue était magnifique. L'averse avait dégagé le ciel ; de gros nuages charbonneux soulignaient l'horizon, et l'étendue immense de la baie luisait dans un rayon de soleil.

Je suis resté longtemps à regarder ce paysage. Tandis que les idées se bousculaient dans ma tête, j'ai eu un vertige ; il a fallu que je m'écarte du bord pour m'asseoir sur les marches.

Prudence se taisait. Elle attendait. Quand vous avez vu votre famille massacrée dans les faubourgs de Monrovia, plus rien ne vous étonne, pas vrai ? Elle imaginait sans peine ce que je ressentais en me trouvant enfin sur les lieux de ma naissance, sans père ni mère pour me dire qui j'étais vraiment.

Le vertige est passé. J'ai rouvert les yeux. Derrière moi, l'ange brillait dans une éclaircie passagère, et je me suis mis à rire.

— Pourquoi tu ris ? m'a demandé Prudence.

— Je ne sais pas.

J'ai pris une grande inspiration, j'ai contemplé l'abbaye et j'ai ajouté :

— Viens, on s'en va.

Elle n'a pas fait de commentaire sur les nombreuses heures d'autocar que nous avions endurées pour arriver jusqu'ici, ni sur nos économies qui avaient servi à payer le billet, ni sur mon inconstance. Elle m'a emboîté le pas, et nous sommes redescendus.

Là-haut, face au panorama splendide, je venais simplement de m'apercevoir que tout ça n'avait aucune importance. Le Mont-Saint-Michel et Jeanne Fortune n'étaient pas l'essentiel. Je n'avais pas besoin d'interroger les quarante habitants pour savoir ce que je savais déjà : le plus important pour moi, c'était de retrouver Gloria.

41

Quand vous êtes majeur, officiellement citoyen de la République de France et que vous connaissez le vocabulaire courant sur le bout des doigts, vous pouvez soulever des montagnes. Même dans le Caucase. Même si c'est très long. Même si le courage vous manque parfois, même si vous avez l'impression que c'est peine perdue et qu'il vaudrait mieux chercher une aiguille dans une botte de foin.

Il m'a fallu deux ans, des dizaines de courriers, de coups de fil et d'e-mails, je vous épargne les détails. Enfin, la semaine dernière, j'ai reçu une lettre en provenance de l'ambassade de France à Tbilissi, Géorgie, Caucase.

La lettre est dans ma valise. Elle dit : « Cher monsieur Blaise Fortune, nous pensons que oui, peut-être, la personne que vous cherchez est ici. Mais la situation est particulière. Il faudrait que vous veniez sur place, voici l'adresse. Soyez assuré de nos sentiments blablabla. »

C'est la raison pour laquelle, en ce matin du mois de juillet 2005, je me trouve à l'aéroport de Roissy-Charles-de-Gaulle, avec mon cœur qui bat à tout rompre, mes souvenirs d'enfance qui se bousculent dans ma mémoire, et ce petit truc en plastique *made in China* que j'ai acheté au Mont-Saint-Michel.

Maintenant c'est l'heure, et je pense au poème de Charles Baudelaire qui dit : « Il est temps, levons l'ancre ! »

Je m'approche de l'hôtesse. Elle vérifie mon passeport, me sourit et me souhaite bon voyage.

42

Je passe ma première nuit dans un hôtel du centre de Tbilissi, sans dormir, debout devant la fenêtre ouverte. Il fait une chaleur étouffante. J'observe les lumières, les voitures qui défilent, les façades éclairées des cathédrales et des mosquées. Est-ce ici que j'ai vécu avec Gloria à l'époque de l'Immeuble ? Ou bien était-ce dans une autre ville ? Je ne reconnais rien, évidemment, et j'attends le lever du jour avec une sorte de fièvre qui me laisse au bord de la nausée.

Ce que je sais du Caucase, après huit ans d'absence, c'est qu'il n'a pas tellement changé. Officiellement, ce n'est plus la guerre, mais il y a toujours des combattants, des kalachnikovs, des frontières mouvantes et des réfugiés qui se faufilent comme des courants d'air de vallée en vallée. De temps à autre, il y a un attentat, des enlèvements, des disparitions : c'est le genre d'endroit auquel personne, décidément, ne comprend rien. Pourtant, des gens vivent ici. Ils respirent, ils marchent dans ces rues, ils travaillent, ils boivent, ils mangent, ils s'amusent, même.

Enfin, je vois pâlir le ciel, et l'aube apporte un peu de fraîcheur.

Je prends une douche, je me rase, je boutonne ma chemise et je me regarde dans le miroir de la salle de bains : me voilà aussi propre que le jour où je suis sorti de Bapuli. Un vrai Français, sans pou ni puce, avec la raie au milieu. Suis-je devenu un étranger sur la terre de mon enfance ? Me reconnaîtra-t-elle ?

La gorge serrée, je quitte l'hôtel. L'adresse de l'hôpital est inscrite sur un papier plié au fond de ma poche. Inutile de la relire encore une fois, je la connais par cœur.

Je suis accueilli par le Dr Leonidze, un homme doux et élégant, qui parle russe avec une pointe d'accent. L'ambassade de France l'a prévenu de ma visite, et il m'offre une tasse de thé dans son bureau.

Il n'est que huit heures du matin. Le soleil frappe la vitre. Je transpire dans ma chemise propre.

— Avant de vous emmener dans sa chambre, m'explique Leonidze, je dois vous prévenir : elle n'a pas prononcé un seul mot depuis sept ans.

La tasse de thé tremble entre mes mains. Je demande :

— Elle est ici depuis sept ans ?

Leonidze hoche la tête.

— Lorsqu'elle est arrivée, elle présentait un état de santé très préoccupant.

— Est-ce que… est-ce qu'elle toussait ?

— Oui. Une infection grave des voies respiratoires. Nous avons d'abord pensé à la tuberculose, mais il s'agit plus probablement d'un empoisonnement dû à des produits chimiques. Maintenant, son état est stable.

Je pose ma tasse et, du revers de la main, j'essuie mon front trempé de sueur.

— Pendant toutes ces années, poursuit Leonidze, ne sachant ni son nom, ni d'où elle venait, nous l'avions surnommée *Outsnobi Khali*, « l'Inconnue » en géorgien… Encore un peu de thé ?

Je fais signe que je n'en veux plus. Ce que je voudrais, maintenant, c'est la voir. Je dis :

— Si c'est bien la personne que je cherche, je…

La suite de la phrase ne me vient pas. En réalité, j'ignore ce qui se passera si c'est bien ma Gloria qui est ici. Je suis comme en apesanteur, je flotte. Le docteur termine son thé et nettoie les deux tasses sous le filet d'eau du robinet. Il m'explique :

— Il y a quelques mois, une équipe de télévision est venue faire un reportage sur l'hôpital. Elle a filmé nos patients, et nous lui avons permis de montrer Outsnobi

Khali. Peu après la diffusion du reportage, un homme s'est présenté. Il disait l'avoir reconnue. Selon lui, notre mystérieuse patiente s'appelle Gloria Vassilievna. Il y a eu des articles sur elle, dans les journaux.

Il s'essuie les mains sur sa blouse.

— Venez, dit-il, je vous guide.

Je me lève. Nous quittons le bureau et nous traversons des couloirs. Les ascenseurs sont en panne, il faut prendre un escalier sombre pour accéder au troisième étage. Je n'entends plus que le bruit de nos pas sur le carrelage et mon cœur qui cogne plus fort qu'un tambour.

Leonidze s'arrête devant une porte. Il ajoute :

— L'homme qui pensait avoir reconnue notre patiente a souhaité la voir, comme vous ce matin. Il lui a parlé, et Gloria Vassilievna s'est mise à pleurer. C'était la première fois que je la voyais exprimer une émotion… Pourtant, elle n'a pas prononcé un mot. Il ne faut pas vous attendre à grand-chose, vous comprenez ?

— Je comprends.

Mes jambes me portent à peine. Je ne songe même pas à demander au docteur le nom de l'homme qui a fait pleurer Gloria. Je ne vois que sa main sur la poignée de la porte.

43

Une silhouette est assise devant la fenêtre. De dos.
J'entre.

La lumière du soleil est si intense... Je cligne des yeux,
puis je contourne le lit et je m'approche. Ses cheveux
noirs sont ramenés en chignon, dont quelques mèches
s'échappent sur ses tempes. Je m'approche encore.
Je vois maintenant son profil, la ligne de son nez, l'arc de
ses pommettes. Une bombe explose dans ma poitrine :
une bombe qui irradie chacun de mes organes et me
fragmente en millions de petites miettes.
  C'est elle. C'est bien elle. C'est *ma* Gloria.

Elle tourne son visage vers moi. Son regard est une
étoile morte, un trou noir. Je me penche. Mes mains
tombent. Je dis :

— Gloria… ?

J'ai la bouche aussi sèche qu'un désert.

— C'est moi, Gloria. C'est Koumaïl.

Les étoiles mortes de ses yeux me fixent. Pas un signe de vie, rien. Le vide. Je répète :

— C'est Koumaïl. Je suis revenu. Tu vois ? C'est moi… Monsieur Blaise.

Quelque chose se produit, me semble-t-il. Une lueur lointaine s'allume dans son regard. Je m'agenouille devant elle car je n'ai plus la force de rester debout. Ma gorge s'est solidifiée, on dirait qu'elle est prise dans le béton, mais il faut que je parle encore pour entretenir cette lueur.

— Tu te souviens…, il y a huit ans, tu m'as dit de grimper dans la bétaillère de l'Espagnol. Sur le parking, là-bas, à la frontière. Tu te souviens ? Tu m'as dit de ne pas bouger. J'ai obéi, Gloria… Je suis resté avec les porcs, dans le noir.

À mesure que je parle, les yeux de Gloria se raniment. Chaque mot est un souffle sur des braises anciennes.

— Quand je suis arrivé en France, tu n'étais plus là… J'étais tout seul et je ne savais pas où tu étais… Je…

Et voilà que je pleure, sans m'en rendre compte. Je pose mes mains sur les genoux de Gloria, et je sens sa chaleur. Elle est aussi maigre qu'à l'époque du camp tsigane, mais elle est devant moi, en vie ! Elle n'a pas tellement changé, à part ce masque inerte qui empri-

sonne son visage et qui lui donne cette expression
d'absence.

Je répète :

— C'est moi, Koumaïl ! J'ai grandi, j'ai changé, c'est
vrai… Mais tu me reconnais ?

La main gauche de Gloria se soulève et s'approche de
moi avec une lente hésitation, comme si elle redoutait
de se brûler ou d'être mordue. Je reste immobile, à
genoux, et je pense soudain au père de Fatima qui priait
sur son tapis quand on lui a tiré dessus. Pour rien au
monde, je ne voudrais mourir maintenant.

Sa main se pose sur ma joue, légère comme un oiseau
sur une branche. Elle effleure ma peau, elle suit les
contours de mon visage.

Sa bouche s'ouvre pour laisser passer un son indéfi-
nissable, quelque chose qui ressemble au cri d'une bête
blessée peut-être. Puis elle se met à pleurer sans pouvoir
s'arrêter. Dans ses yeux qui me dévorent, la vie est
revenue brusquement, et ça ressemble presque à un
conte de fées, quand la princesse, endormie depuis cent
ans, se réveille enfin.

Elle saisit mes mains.

Je sanglote :

— Nouka avait raison ! Je le savais ! Tu ne pouvais pas
mourir ! Tant que j'avais besoin de toi, tu ne pouvais
pas…

Gloria ouvre ses bras. Je me jette contre elle, comme quand j'étais petit, cherchant à retrouver son odeur de lessive et de thé.

Gloria caresse mes cheveux. Elle me berce.

Enfin, d'une voix cassée par tant d'années de silence, elle prononce ces mots qui m'incendient le cœur :

— Je t'attendais, Koumaïl.

Ce matin-là, Gloria ne peut rien dire de plus, mais ce n'est pas grave, puisque nous avons toute la vie devant nous, maintenant.

— Pas vrai ? dis-je en souriant au Dr Leonidze, une fois de retour dans son bureau.

Le docteur secoue la tête doucement, et ses yeux font deux ronds tristes au milieu de son visage.

— Pas toute la vie, monsieur Fortune : quelques semaines, un mois ou deux. Pas plus. Je suis désolé.

Je le regarde sans comprendre.

— Mais vous m'avez dit que son état était stable !

— Stable ne signifie pas forcément bon, monsieur Fortune. Les poumons de Gloria Vassilievna ont été rongés par des produits chimiques. Nous avons pu retarder la progression de son mal, mais elle est condamnée.

Une rage fulgurante me lacère le ventre. Je me lève, m'approche de Leonidze et je hurle :

— Vous n'y connaissez rien ! Je la ramène avec moi,

en France ! Là-bas, il y a de meilleurs médecins ! Ils sauront la soigner !

Le Dr Leonidze, résigné, range ses mains dans les poches de sa blouse. Il soupire :

— Je vous déconseille fortement ce voyage, monsieur Fortune. Elle n'en a pas la force. Il faudrait un miracle pour la sauver.

Je le regarde avec un sourire de triomphe. Je dis :

— Ça tombe bien : JE SUIS un miracle !

44

Je retourne dans la chambre de Gloria. J'entre en trombe. Je bouscule la tablette près du lit et lance :

— Allez, viens ! On fiche le camp de cet hôpital, on part. Où est ta valise ?

Gloria secoue la tête. Elle ne possède aucune valise : que pourrait-elle mettre dedans, hein ? À part les vêtements fournis par l'hôpital, elle n'a plus rien.

— Parfait ! je dis. C'est encore plus simple !

J'ouvre le petit placard où sont pendus quelques tricots, un imperméable, un pantalon, et je jette tout en vrac sur le lit.

— On va aller à l'ambassade, tu vas voir. Ils vont te faire un visa, ils vont comprendre que c'est urgent. Je suis citoyen de la République de France, n'oublie pas ! J'ai mon passeport officiel ! Je suis libre, et personne ne pourra m'empêcher de te ramener à Paris !

J'attrape une paire de bottines dans le bas du placard, tout en continuant de parler vite, avec un énervement qui me fait trembler.

— Tu ne restes pas une seconde de plus dans cette chambre ! Ces médecins sont des incapables ! Pas étonnant que tu dépérisses ! Je vais m'occuper de toi, tu vas voir ! Tu vas récupérer ! Parce que la vérité, c'est que tu es toujours aussi solide que les arbres !

Ça y est, le placard est vide. J'entreprends de plier les vêtements, mais le regard de Gloria m'intercepte. Un regard terrible qui m'oblige à me taire. Elle n'a pas bougé de sa chaise. Elle sourit avec une douceur mystérieuse. On croirait la Joconde.

— Ben quoi ? Qu'est-ce qu'il y a ? je demande.

Gloria tapote le dessus de lit avec sa main, l'air de dire « Assieds-toi et arrête de t'agiter », mais je n'ai qu'une obsession : l'emmener loin d'ici pour l'empêcher de mourir. Je n'ai quand même pas attendu huit ans, je n'ai quand même pas remué ciel et terre pour l'abandonner maintenant !

— On parlera dans l'avion, je dis. Je vais trouver un sac pour mettre tes affaires.

— Tatata…, murmure Gloria.

Et son sourire vacille.

Mes forces s'épuisent d'un seul coup. Alors je pose les tricots et je viens m'asseoir près d'elle, sur le lit.

Le soleil entre en biais par la fenêtre, il fait un peu

moins chaud. On entend des voitures qui klaxonnent dans la rue.

Gloria et moi, on se regarde longtemps et j'essaie de déchiffrer ce qu'elle n'arrive pas à me dire. Au bord des larmes, je finis par admettre que ce serait une folie de quitter la Géorgie.

— OK, tu as raison, on va attendre. Ça ne presse pas tant que ça, hein ?

Gloria sourit de nouveau ; elle semble soulagée. Je propose :

— Est-ce que tu voudrais quand même sortir ? Juste pour une petite promenade ?

C'est l'après-midi, et Gloria marche lentement dans les rues qui escaladent le flanc de la colline. Nous avançons sans but précis, sous les balcons sculptés et le linge pendu aux fenêtres. Des chiens passent, reniflent les murs, et s'éloignent. Je constate que Gloria s'arrête souvent pour reprendre des forces.

Finalement, nous nous asseyons sous un arbre dont je ne connais pas le nom et nous partageons l'eau d'une bouteille que j'ai prise à l'hôtel. Il y a tant à dire que je ne sais pas par où commencer.

Nous restons silencieux, les yeux braqués vers le fleuve qui creuse le fond de la vallée. Des oiseaux chantent, des insectes bourdonnent dans les branchages, et s'il n'y avait pas, ici ou là, des carcasses de bâtiments éventrés par la guerre, on pourrait croire que le Caucase est une région paisible. Je demande :

— Quand on habitait dans l'Immeuble, est-ce que c'était ici ? Je veux dire : à Tbilissi ?

— Tu t'en souviens ? s'étonne Gloria.

— Bien sûr ! Je me souviens de tout à partir de là.

Je lui décris mon premier souvenir, avec la lessive et Sergueï qui me rase la tête.

— Et avant ? me demande-t-elle.

— Avant, c'est toi qui m'as raconté. Pour Vassili, ZemZem, l'accident de l'express…

Gloria souffle. Ses yeux cherchent quelque chose dans le paysage, puis reviennent se poser sur moi.

— Tu as tellement grandi, Koumaïl. Est-ce que tu es heureux, en France ?

Comment répondre à cette question ? D'une certaine façon, oui, je suis heureux : j'ai un toit, je n'ai ni faim ni froid, j'ai droit à des aides pour continuer mes études à l'université, je me promène souvent à Montmartre, je bois des bières fraîches à la terrasse des cafés avec des amis, je ris, je vais au cinéma quand j'ai assez d'argent et, par-dessus tout, il y a l'amour que je partage avec Prudence… Pourtant, une mélancolie profonde accompagne chaque jour de ma vie, un chagrin inconsolable qui me donne l'impression d'avoir un trou à la place du cœur.

Je me penche pour arracher un brin d'herbe et je le tords entre mes doigts avant de dire :

— Je n'ai pas retrouvé ma mère, tu sais.

Quand je relève la tête, Gloria me regarde fixement. Son regard m'effraie, et la pâleur de son visage aussi. Je m'inquiète :

— Tu veux rentrer ?

Elle fait signe que non. Elle s'adosse contre le tronc de l'arbre et elle reste un moment absorbée dans ses pensées ou à contempler le soleil qui joue dans les feuilles.

— Il est temps que je te raconte ton histoire, Koumaïl, finit-elle par soupirer.

— Mon histoire ? Tu me l'as déjà racontée des millions de fois. Je la connais par cœur ! Ça va te fatiguer.

— Tatata… C'est une nouvelle version.

— Ah ?

— Viens là, comme autrefois. Ça fait huit ans que j'attends ce moment.

Je n'ai jamais su désobéir à Gloria. Alors j'allonge mes jambes dans l'herbe et je pose ma tête sur son ventre. Même sans embonpoint, il est toujours confortable, et ça me rassure de sentir la respiration de Gloria sous ma nuque.

— Il faut que tu me promettes une chose, dit-elle en préambule.

— Quoi ?

— De ne surtout pas m'interrompre.

Je le lui promets, tandis qu'elle caresse mon front. Puis je ferme les yeux pour mieux entendre sa voix.

Je ne dis plus rien. J'écoute mon histoire. Dans sa nouvelle version.

45

— C'était la fin de l'été, dit Gloria. En 1984, exactement.

« À cette époque, j'avais vingt ans et le Caucase était soviétique : qu'on soit russe, géorgien, ingouche, arménien, tchétchène ou abkhaze, nous vivions tous sous les ordres de Moscou. C'était les aléas de l'Histoire, et personne ne pouvait croire que cela changerait avant très longtemps.

« Mon père, le vieux Vassili, était russe. Avec ma mère, Liuba, il s'était installé en Abkhazie pour travailler dans un verger. Ce n'était pas son verger : malgré ses bretelles et sa grande paire de moustaches, Vassili n'était qu'un simple travailleur. Il ne possédait rien d'autre que la force de ses bras et ses six enfants. Tu te souviens d'eux, n'est-ce pas ? Fotia et Oleg avec leurs épaules d'athlète, Anatoli qui cachait ses yeux derrière les verres épais de ses lunettes, Iefrem plus frisé qu'un agneau, Dobromir avec son sourire d'angelot... Et moi, sa seule fille.

Je souris en entendant les noms qui composent cette famille, fantomatique et idéale, qui n'a cessé de vivre dans mon imagination depuis que je suis enfant.

— Cet été-là, donc, ZemZem est arrivé au verger. Il venait de Tchétchénie, une république plus au nord. Il était aussi pauvre que nous tous, mais il avait reçu une éducation. Il était très beau ; nous sommes tombés amoureux au premier regard. Nous marchions sous les arbres, nous parlions de mille choses. J'admirais tout chez ZemZem : sa vitalité, son intelligence, ses idées, ses connaissances... Alors, vois-tu, quelques mois plus tard, quand j'ai su que j'attendais un enfant de lui, je me suis sentie heureuse, heureuse comme jamais.

Mon cœur sursaute dans ma poitrine, et ma respiration s'accélère. Je n'ose pas rouvrir les yeux de peur d'interrompre le récit de Gloria.

— Le 28 décembre 1985, reprend-elle d'une voix ralentie par l'émotion, j'ai mis au monde un garçon magnifique. Tout le monde était là, rassemblé dans la maison : Liuba, Vassili et mes cinq frères. Je me souviens ! ZemZem était fier et émerveillé. Il a posé une main sur son fils et il a dit que c'était un miracle.

« Cet enfant, c'était toi. Et nous t'avons appelé Koumaïl.

Je ne respire plus. Je suis paralysé.

Dans le silence qui suit, une goutte d'eau s'écrase sur mon front. Je tressaille. Quand j'ouvre enfin les yeux, je vois des larmes glisser sur les joues de Gloria.

Rompant ma promesse, je murmure :

— C'était moi ? Tu veux dire que...

Gloria pose un doigt sur mes lèvres. Son corps entier tremble, alors je ravale mes questions, et j'attends.

— Pendant quelques années, nous avons été heureux, tous ensemble, continue-t-elle. Mais les choses ont brutalement changé quand le pouvoir de Moscou s'est affaibli, vers 1989. Les différents peuples du Caucase ont commencé à réclamer leur indépendance. C'était un peu comme si, durant cinquante ans, on avait mis un couvercle sur une marmite bouillante. Quand on retire le couvercle, on se brûle...

« ZemZem était prêt à agir. Il a rassemblé des hommes autour de lui, dans le but d'organiser la libération des petites républiques soumises. Il parlait beaucoup, avec une conviction si forte que de nombreux travailleurs avaient envie de le suivre. Moi la première ! Nous voulions faire la révolution, tu comprends ? Nous voulions que chaque peuple puisse vivre libre, sur sa terre, que chacun retrouve la langue de ses ancêtres, sa religion, sa culture... Pour ça, ZemZem était prêt à prendre de grands risques, mais je ne m'en rendais pas compte.

J'assistais aux réunions, j'écoutais ses discours, et je m'enflammais.

« Avec un petit groupe de volontaires, nous nous retrouvions en secret dans un cabanon, au fond du verger. C'est là que j'ai vu arriver des armes, des produits chimiques, du matériel de guerre… ZemZem répétait que notre révolution ne pourrait pas aboutir pacifiquement. Avec enthousiasme et détermination, il nous a initiés à la fabrication des bombes.

« Tu nous aurais vus manipuler des bidons, des poudres toxiques, sans protection. Nous étions d'une inconscience totale… Nous étions si jeunes !

« Vassili et Liuba s'inquiétaient. Mes frères aussi. Notre famille était russe, me disait Vassili, et nous ne devions pas nous mêler des affaires des Abkhazes, des Tchétchènes ou des Géorgiens. Nous n'étions que de petits cultivateurs, des ramasseurs de pommes ! Il fallait laisser la politique et les armes à d'autres ! Mais j'étais trop amoureuse pour écouter mon père. Je pense qu'une partie de moi refusait de croire que c'était du sérieux.

« Une nuit, à la fin de l'été 1991, je suis allée avec ZemZem et les autres le long de la voie ferrée. Tout était prêt : nous avons posé nos explosifs sur les rails.

« Au matin, quand l'express est apparu à l'horizon, j'ai soudain réalisé la gravité de nos actes. La peur m'a submergée. J'ai supplié ZemZem de renoncer, de désamorcer les bombes. Il a refusé. L'express transportait des militaires géorgiens et, d'après lui, ils étaient nos ennemis. J'ai crié qu'il y avait aussi des civils dans ce train, des femmes, des enfants... Il n'a rien voulu savoir. Le convoi approchait. Je suis restée les bras ballants.

« Les bombes ont explosé.

« Il y a eu ce fracas épouvantable.

« ZemZem et les autres ont fait le V de la victoire et ils sont partis. Moi, je n'ai pas pu.

« Le train était en flammes, des gens hurlaient, alors je me suis approchée. J'ai entendu les appels d'une femme. Je me suis faufilée dans un wagon éventré, et j'ai rampé entre les sièges tordus.

« Elle était roulée en boule dans un coin, du sang plein le visage. Elle tenait un bébé contre sa poitrine. Je me suis penchée. C'était trop tard : son bébé était mort. Le temps que j'essaie de la traîner hors du wagon, elle était morte, elle aussi. Je suis restée là, près d'elle, sans cesser de pleurer, pendant un long moment, sans savoir que faire.

« Et puis, au milieu du fatras, j'ai trouvé sa valise. Dedans, il y avait une couverture en peau de mouton, un poste de radio, un livre de poésie, des cigarettes françaises, des vêtements, un violon... Il y avait surtout une grosse liasse de dollars, et deux passeports français : le sien et celui du bébé. J'ai pris la valise. Plus loin, j'ai aperçu un gros sac en toile militaire, vidé par le souffle de l'explosion. J'y ai transvasé le contenu de la valise, j'ai mis le barda sur mon dos et je suis sortie du wagon.

« Dehors, les secours arrivaient. Parmi les gens venus aider, il y avait Vassili et mes frères, qui tentaient d'éteindre l'incendie avec le camion-citerne. J'ai croisé le regard horrifié de mon père, et il a compris ce que j'avais fait.

« Le soir même, j'ai annoncé à ZemZem que je ne voulais plus jamais participer aux actions de son groupe, que c'était criminel et barbare. Nous avons eu une très violente dispute. Tu étais là, Koumaïl. Tu as pleuré en nous entendant crier. ZemZem s'est calmé, il t'a pris sur ses genoux, et il t'a demandé si tu pensais que ton père était un criminel, un barbare. Tu as dit non, bien sûr. ZemZem t'a serré dans ses bras et il a dit : "Et ta mère ? Tu ne trouves pas qu'elle est lâche ?" Tu as pleuré de nouveau, sans comprendre ce qui se passait. Tu n'avais que cinq ans, à ce moment-là. Moi, j'étais terrorisée. »

Soudain, je suffoque. Je me redresse et me lève sur mes jambes tremblantes. J'appuie mes mains contre le tronc de l'arbre. J'ouvre la bouche, à la recherche de l'oxygène qui me manque. Les pensées les plus confuses traversent mon esprit. J'ai envie de hurler et je suis incapable de définir ce que j'éprouve. Est-ce de la colère ? Du dégoût ? Du soulagement ? De la peur ?

Au bout d'un moment, Gloria murmure :

— Il faut que je termine l'histoire, Koumaïl. Quand j'aurai fini, tu pourras juger.

Je me laisse tomber au pied de l'arbre, sans force, et j'écoute, la tête dans les mains, la voix faible de Gloria qui reprend :

— La guerre couvait depuis longtemps entre les Abkhazes et les Géorgiens. Après l'attentat, la région a vite sombré dans de graves troubles politiques, et la tête de ZemZem a été mise à prix. Il n'avait plus le choix : il devait entrer en clandestinité. Bien entendu, il voulait nous entraîner avec lui. Quand il te regardait, il avait les yeux d'un fou. Il disait qu'il ferait de toi un soldat farouche, un héros… Toi, un enfant ! Alors, j'ai pris ma décision.

« Je suis allée voir Vassili et Liuba. Ils m'ont donné le samovar, des provisions et cet atlas vert que tu aimais tant regarder. Mes frères t'ont embrassé et ils m'ont dit adieu. Fotia a juste eu le temps de glisser un papier dans ma main, avec le nom et l'adresse d'un homme qu'il connaissait à Soukhoumi. Un homme de confiance, qui travaillait au *Matachine*, et auprès de qui je pourrais trouver de l'aide si j'avais besoin de quitter le Caucase.

« La nuit même, dans le plus grand secret, Vassili nous a emmenés en camion jusqu'à la ville voisine. Il m'a laissée là, avec toi. Mon vieux père avait le cœur brisé, mais il ne pouvait pas me pardonner d'avoir posé cette bombe, et j'ai compris qu'il ne voudrait jamais plus me revoir.

« J'avais peur que ZemZem se lance à notre poursuite, peur que la milice géorgienne n'établisse le rapport entre lui et nous, peur de tout. Alors c'est devenu clair : personne ne devait savoir que j'étais la femme de ZemZem Dabaïev, et personne ne devait savoir que tu étais son fils. Il nous fallait changer d'identité, cacher la vérité, rompre les liens qui nous unissaient, et même le lien entre toi et moi : c'était une question de vie ou de mort.

« Nous avons survécu pendant une année entière, au gré des routes. J'ai fait de mauvaises rencontres dont je n'ai pas envie de me souvenir, mais j'ai aussi trouvé de braves gens pour nous aider. Et puis, je plaçais mon espoir dans les deux passeports français que j'avais volés. Je pensais qu'un jour ils nous sauveraient la vie.

« C'est à cette époque que j'ai commencé à te raconter des histoires. Tu étais si petit ! Comment pouvais-tu surmonter l'épreuve d'une réalité aussi sombre ? Je ne voulais pas que tu gardes en mémoire un père terroriste. Je ne voulais pas que les morts de l'express pèsent sur tes épaules. Je ne voulais pas que tu souffres de ce déchirement qui m'avait séparée de ma famille. Je voulais que ta vie soit belle, pleine d'espoir et de lumière, tu comprends ? Alors, j'ai réinventé ta naissance, ton enfance, et j'ai imaginé pour toi un passé plus romanesque.

« Chaque soir, j'ajoutais des détails, des évènements nouveaux. J'ouvrais le barda, et je me servais de ce qu'il contenait pour donner du poids à mes affabulations. Le livre, par exemple : c'était celui d'un poète de langue française qui avait vécu en Russie. Il s'appelait Blaise Cendrars. J'ai découvert le prénom "Jeanne" dans l'un de ses poèmes. Quant à "Fortune", c'était simplement la marque des cigarettes… Je n'avais pas le sentiment de te mentir. Mon seul souci était de te protéger. »

Je suis immobile sous cet arbre, dans la chaleur de l'été, à Tbilissi. Ma tête n'a pas bougé d'un iota, toujours posée dans mes mains, et mon cœur fait un bruit de pompe. Au-dessus de moi, le soleil a tourné ; il lorgne du côté du fleuve maintenant. Je n'ai ni soif ni faim. Je ne ressens rien d'autre qu'une totale sidération.

Gloria est épuisée, et je crois qu'elle a peur de ce qui va suivre. Déboussolé, je parviens à demander :

— Et le Mont-Saint-Michel ?

Gloria soupire.

— Quand Monsieur Ha a falsifié nos passeports, il a gratté les noms d'origine pour que personne ne fasse le rapprochement entre nous et la femme avec son bébé morts dans l'attentat de l'express. Il t'avait vu émerveillé par les photos du catalogue. C'est lui qui a eu l'idée du Mont-Saint-Michel. Voilà ta véritable histoire, Koumaïl.

Je regarde le ciel du Caucase, avec ses petits nuages et son azur magnifique. J'essaie de rassembler mes pensées qui s'effilochent. Je n'y arrive pas. J'ai l'impression que je pourrais rester là sans rien dire pendant cent sept ans. Prendre racine dans ce sol sec, devenir une pierre ou tomber en poussière.

Plus tard, un insecte se pose sur ma joue. Je le chasse d'un revers de la main, et ce geste machinal me ramène à la vie. Je murmure :

— Je suis ton fils… Ton vrai fils…

Gloria étouffe un sanglot, avant de dire :

— Tu te rappelles la liste des choses précieuses ?

Je hoche la tête.

— Tu me demandais sans cesse : « Et ZemZem, qu'est-ce qu'il t'a donné ? » Je refusais de te répondre. Maintenant, je peux : il m'a donné le plus précieux de tous les cadeaux. Ce cadeau, c'est toi.

Je m'agenouille dans l'herbe pour regarder celle qui vient de prononcer ces mots. C'est Gloria, ma

Gloria… Ma mère ! Ma mère qui pleure sans bruit, et qui tremble de froid alors qu'il fait si chaud. Je pense : « Elle m'a menti. Tout au long, elle m'a menti. » Mais je dis simplement :

— Au fond de moi, je crois que je l'ai toujours su.

46

Ce soir-là, je ne sais plus où j'en suis. J'ai besoin de solitude et de temps pour réfléchir. Gloria est épuisée ; je la laisse dans sa chambre avec un peu de soulagement.

Avant de quitter l'hôpital, je retourne dans le bureau du Dr Leonidze. Je lui demande qui était l'homme qui a reconnu Gloria après le reportage de la télévision. Il m'explique que le visiteur a refusé de décliner son identité.

— Ce sont des choses fréquentes ici, sourit-il. La guerre n'est pas loin. Tout le monde a ses blessures.

Je hoche la tête. J'ajoute que je reviendrai demain, et je sors.

Je marche dans la ville pendant des heures, sans me soucier des recommandations de l'ambassade au sujet des agressions nocturnes. Je n'ai pas peur. Je me sens hors d'atteinte.

Une fois à l'hôtel, je m'assieds près de la fenêtre, devant la table, avec un carnet et un stylo. Je dresse la liste de mes pensées, en français, comme Mme Georges m'a appris à le faire en cas de problème :

1. Mon vrai nom est Koumaïl Dabaïev.

2. Je suis né le 28 décembre 1985 dans un verger, en Abkhazie, qui est située dans le Caucase à la page 68 de mon atlas vert.

3. Ma mère est Gloria Vassilievna Dabaïeva.

4. Mon père est ZemZem Dabaïev.

5. Je suis russe par ma mère, tchétchène par mon père. Je suis citoyen de la République de France par mensonge.

6. Jeanne Fortune n'existe pas.

7. Blaise est le nom d'un poète. Fortune, une marque de cigarettes.

8. Une femme et un bébé sont morts dans l'express, tués par une bombe. La bombe a été fabriquée par ma mère et posée par mon père.

9. Je suis le fils de deux criminels.

10. Vassili est mon grand-père. Liuba est ma grand-mère. J'ai cinq oncles. Sont-ils toujours vivants ?

11. ZemZem est en vie. C'est forcément lui qui a reconnu Gloria à la télévision. Est-il encore à Tbilissi ?

12. Gloria m'a menti.

13. Gloria m'a abandonné dans la bétaillère.

14. Pourquoi ?

Je pose mon stylo et je regarde ma liste. Je suis exténué. Vide.

Je titube vers le lit et je m'écroule.

Au matin, en rouvrant les yeux, je me demande si j'ai rêvé. Je me sens comme quelqu'un qui sort d'un coma prolongé. Le monde qui m'entoure me paraît différent de ce qu'il était la veille, et pourtant c'est le même ciel, le même soleil.

Après une douche brûlante, je téléphone à Prudence. Il est huit heures à Paris et je l'imagine dans notre petit studio, encore en chemise de nuit, devant son bol de café. Dans une demi-heure, elle claquera la porte pour partir travailler à la boutique de fleurs où elle gagne une partie de notre loyer. Elle rentrera fatiguée, mais elle passera la soirée à étudier, car en septembre Prudence passera le concours pour devenir professeur.

Elle est heureuse d'entendre ma voix. Elle attendait mon appel.

— Alors ? dit-elle.

— J'ai retrouvé Gloria.

— Comment tu te sens, Blaise ?

— Ça va.

— Et elle ?

— Elle est très malade. Je crois qu'elle pourrait mourir dans peu de temps.

— ...

— Je ne crois pas qu'elle supportera le voyage. Je vais rester ici, auprès d'elle.

— D'accord.

— J'aurais tellement aimé qu'elle te connaisse, et que tu la connaisses...

— Moi aussi, répond Prudence. Montre-lui nos photos.

— D'accord.

Il y a un court silence. J'entends un écho bizarre sur la ligne. Je dis :

— Je te raconterai tout en rentrant... Toute la vérité sur Blaise Fortune.

— D'accord.

Avant de raccrocher, elle ajoute :

— Je t'aime, Blaise.

47

Le Dr Leonidze m'accueille sur le seuil de la chambre du troisième étage. Il me pousse gentiment vers la porte, mais j'ai quand même le temps de voir des tuyaux dans le nez de Gloria, et son visage livide sur l'oreiller.

— Venez, me presse Leonidze, parlons d'abord dans le couloir. Ce ne sera pas long. Après je vous laisserai en tête à tête avec elle.

Le couloir est lugubre malgré les tableaux décoratifs et la peinture claire. Le docteur pose une main sur mon épaule.

— Son état s'est dégradé brutalement, m'explique-t-il. Cette nuit, nous l'avons mise sous assistance respiratoire.

— Les tuyaux ?

— Oui, les tuyaux.

Il m'explique l'ampleur des dégâts, la décrépitude des poumons de Gloria. Il me dit qu'elle est consciente, qu'elle peut parler, mais pas trop longtemps. Il me supplie de la ménager. En cas de besoin, j'appuie sur le bouton près du lit ; une infirmière viendra.

Il me laisse et je retourne dans la chambre.

Gloria a les yeux ouverts. Ses bras sont posés le long de son corps.

— Koumaïl…, sourit-elle. J'avais peur que tu ne reviennes pas.

— Chut…, dis-je en m'asseyant près d'elle. Tu ne dois pas parler trop.

— Tatata… Il ne faut pas écouter les médecins. Il nous reste peu de temps.

Ma gorge fait un nœud. Je murmure :

— Ne dis pas de bêtises, tu vas te rétablir…

Pour évacuer mon angoisse, je lui montre les cadeaux que j'ai apportés de France. D'abord, mon passeport et ma carte d'identité française.

— De véritables papiers, dis-je. Avec des hologrammes infalsifiables. Ceux-là, même Monsieur Ha ne pourrait pas les reproduire, à mon avis !

Gloria sourit sur son oreiller.

— Je suis si contente pour toi, dit-elle. C'est ce que j'ai toujours voulu : être capable de t'offrir un avenir. Ici, c'était impossible. La France, oui. C'est un bon pays.

Je range mes papiers. Je soupire :

— Peut-être, mais ce n'est pas *mon* pays.

— Maintenant, si ! C'est ton pays.

— Je ne sais pas.

Je sors le deuxième cadeau. C'est la babiole en plastique que j'ai choisie dans la boutique du Mont-Saint-Michel : une boule à neige où on voit le Mont, avec l'abbaye et la statue de l'ange. Quand on la secoue, les flocons voltigent autour, c'est joli.

— Je l'ai achetée en pensant au jour où je te retrouverai. Prends-la.

Gloria prend la boule entre ses mains. Elle regarde à l'intérieur, le décor miniature entouré par la fausse mer et les bateaux à voile. Elle dit :

— C'est un merveilleux endroit pour naître.

— Oui, mais je n'y suis pas né.

— Est-ce si important ? demande Gloria. Quand l'histoire est belle, on a envie d'y croire, non ?

— Je ne sais pas.

Je sors le troisième cadeau : l'album de photos que j'ai préparé avec l'aide de Modeste et de Mme Georges. J'y ai collé tous les clichés que nous avons pu récolter. Le premier date de mon arrivée au centre, à Poitiers. Comme l'a remarqué Mme Georges, je fais une sacrée tête d'enterrement là-dessus. Ensuite, il y a les photos de la classe, d'année en année, celles de mes anniversaires où je souris davantage. De page en page, on me voit grandir. Sur les dernières, je suis avec Prudence et nous posons devant les monuments parisiens : la tour Eiffel, Notre-Dame, l'Arc de triomphe, le Sacré-Cœur, le palais du Louvre et sa pyramide de verre...

— Je te présente Prudence Wilson, dis-je. Elle vient du Liberia. Elle et moi, on est inséparables depuis six ans. Maintenant, on habite ensemble dans un petit studio à la porte des Lilas. Elle veut devenir professeur. Comment tu la trouves ?

— Magnifique, vraiment magnifique, répond Gloria sans pouvoir retenir ses larmes.

Je referme l'album. Gloria m'attrape la main et s'y agrippe comme un alpiniste à sa corde. Elle dit :

— J'aurais voulu venir en France avec toi, tu sais. Même si j'avais envisagé le pire, je pensais y arriver... Mais le pire s'est produit, et ça m'a déchiré le cœur.

Elle pétrit ma main.

— Quand je t'ai ordonné de monter dans la remorque de l'Espagnol, j'étais terrorisée à l'idée de me séparer de toi. C'était pourtant la seule façon de t'offrir une chance. Un enfant qui arrive seul en France, même avec un faux passeport, peut s'en sortir.

— Tu veux dire que... que tu savais ce qui allait se passer ?

Gloria secoue la tête avec véhémence, et je vois les tuyaux qui se tendent.

— Non, je l'ignorais ! C'était un pari, Koumaïl ! J'espérais de toute mon âme pouvoir atteindre la France avec toi ! Mais je ne pouvais pas me mentir à moi-même : un adulte muni de faux papiers, une personne recherchée dans son pays d'origine pour des actes terroristes, a très peu de chances de passer entre les mailles du filet. Alors que faire ? Rester avec toi dans le Caucase, c'était mettre nos deux vies en danger. Est-ce que tu comprends ?

Je la regarde, effaré, assommé, embrouillé. Je crie presque :

— Je ne sais pas !

— Regarde-moi, Koumaïl. À l'époque, j'étais déjà malade, tu t'en souviens. Même si je te disais le contraire, j'avais sans cesse peur de mourir. Il fallait te mettre à l'abri, loin de la guerre, loin de ZemZem, avant qu'il ne m'arrive quelque chose.

Je frotte mon visage avec mes mains, partagé entre la révolte et l'accablement.

— Le chauffeur du camion a dit que tu avais fichu le camp pendant qu'il faisait sa pause en Allemagne...

— Tu l'as cru ?

— Non. Qu'est-ce qui s'est passé ?

— Je pense qu'il a eu peur des contrôles, soupire Gloria. Arrivé en Allemagne, il m'a fait croire qu'il devait prendre de l'essence. Il y avait du monde à la pompe, il m'a tendu de la monnaie en me demandant d'aller chercher des cafés. J'ai eu confiance en lui. Je suis descendue de la cabine. Quand je suis revenue avec les deux gobelets, le camion était parti.

Le visage de Gloria se fige dans une grimace de douleur. Elle se remet à trembler comme une feuille. Je me couche sur elle, malgré les tuyaux, malgré sa fragilité, et elle me serre dans ses bras.

— J'ai cru devenir folle de chagrin, Koumaïl. J'ai tenté de continuer vers la France, à pied. J'ai été arrêtée. On m'a renvoyée dans le Caucase. La seule chose qui m'a permis de tenir debout durant toutes ces années, c'était de t'imaginer libre et en sécurité, en France. Tu as ta vie là-bas, maintenant ! Tu es français. Tu as tout l'avenir pour toi, n'est-ce pas ?

— …

— Rappelle-toi ce qu'on disait : marcher…

J'approche ma main de la bouche de Gloria, et je pose mon index sur ses lèvres. Chut. Il faut qu'elle se taise, qu'elle se repose. Et moi, j'ai trop d'informations à digérer, je suis au bord de l'explosion.

— Je reviendrai ce soir, d'accord ?

Gloria approuve d'un signe.

— Je veux te garder le plus longtemps possible, dis-je en me levant. J'ai toujours besoin de toi.

Je dispose la boule à neige et l'album de photos près du lit, sur la tablette. Je m'apprête à sortir, mais je me ravise. J'ai encore trois questions importantes à poser.

— C'est ZemZem qui t'a reconnue à la télévision ?

Gloria tourne les yeux vers le plafond. Elle hésite. Puis elle fait signe que oui.

— Il est à Tbilissi ?

Encore oui.

La dernière de mes questions n'en est pas vraiment une, mais j'ai besoin de la formuler.

— Maintenant, je peux t'appeler « maman » pour de bon ?

Gloria pince les lèvres. Elle bouge la tête trois fois : trois fois oui.

Je me dépêche de quitter la chambre, de refermer la porte ; j'ai à peine fait un pas dans le couloir que j'entends ses sanglots.

48

Trois semaines s'écoulent ainsi, dans la chaleur lourde de l'été.

Grâce au Dr Leonidze, je loue une petite chambre près de l'hôpital, une pièce minuscule et fraîche, au rez-de-chaussée d'un immeuble qui menace de tomber en ruine. Ma fenêtre donne sur une cour pavée où se rassemblent les gamins du quartier ; je les regarde jouer durant des heures, en proie à une nostalgie impossible à chasser.

La santé de Gloria fait des hauts et des bas. Certains jours, je la découvre reposée, l'œil vif, et nous partons en promenade. D'autres fois, elle n'en a pas la force. Alors, je m'assieds au pied de son lit, et je me contente d'apprécier le moment présent.

Elle me pose des questions sur la France, sur mes études, sur les mille projets que nous faisons, Prudence et moi. Elle réclame tant de détails qu'elle m'épuise ! Lorsqu'elle est rassasiée, à mon tour je l'interroge. De cette façon, nous essayons de combler le fossé que le temps a creusé entre nous.

Invariablement, nos conversations se terminent ainsi :

— Est-ce que tu m'en veux, Koumaïl ?

— Non, je ne t'en veux pas, maman.

— Sûr ?

— ...

Je l'embrasse, elle m'embrasse, et, avant de la quitter pour la nuit, je lui lis le poème de Blaise Cendrars dans lequel il est question de la Russie, du Transsibérien et de la petite Jeanne de France. C'est Prudence qui a acheté le recueil dans une librairie parisienne, et qui me l'a envoyé par la poste. Le passage que Gloria préfère est celui où la petite Jeanne demande sans cesse : « Dis, Blaise, sommes-nous bien loin de Montmartre ? »

Je lis en français et, dans un souffle, Gloria répète :

— *Diblaisesommenoubienloindemonmartre ?*

Et puis un soir, quand je reviens à l'hôpital, Gloria a de nouveau des tuyaux autour d'elle, une perfusion dans un bras, un masque à oxygène sur le visage, et le Dr Leonidze m'annonce qu'elle a perdu conscience.

Une machine a été installée près d'elle. Une machine qui respire à sa place.

— C'est la fin, me dit-il.

Je reste muet.

— Si vous voulez passer la nuit ici, vous pouvez.

49

Je suis assis dans le fauteuil, près de Gloria, face à la machine qui fait du bruit. La nuit est tombée sur la ville. L'air est doux, et j'ai ouvert la fenêtre parce que je n'aime pas l'odeur des médicaments.

J'écris dans mon carnet :

Alors voilà : le temps des miracles est terminé. Ma mère, Gloria Vassilievna Dabaïeva, n'a que quarante et un ans, pourtant elle va mourir. J'ai peur d'avoir usé ses dernières forces en réapparaissant, en l'obligeant à se souvenir. Le Dr Leonidze dit que non. Il dit que sa maladie est ancienne. Il dit que, si elle a pu survivre jusqu'à aujourd'hui, c'est justement grâce à moi... Peut-être qu'il a raison. Peut-être que, fidèle à la prédiction de Nouka, Gloria a attendu de me revoir. Elle gardait tant de secrets en elle ! C'était son fardeau : une sorte de barda invisible qui l'obligeait à continuer, à avancer. Maintenant qu'elle l'a déposé, Gloria Bohème est libre de passer la dernière frontière.

Je lève mon stylo de la feuille.

Les paupières de ma mère sont fermées. Ça me rappelle Fatima : Fatima qui refusait de voir le monde, la violence du monde. Qu'est-elle devenue ? Et Emil ? Et Stambek, Maya, Suki, Boucle-d'Oreille, Mme Hanska, tous ceux dont j'ai croisé la route ? Dans la vie, il y a tant de promesses qu'on ne tient pas...

J'écris encore :

Y a-t-il une différence entre dire un mensonge et inventer une histoire ?

Les voyants lumineux de la machine clignotent dans la pénombre et je n'ai pas de réponse à cette question. Désormais, il n'y a qu'une chose dont je suis certain, c'est de l'amour de Gloria pour moi.

Je pose mon carnet et je vais m'accouder à la fenêtre.

Le vent est tiède. La ville s'étend sous mes yeux, criblée de points lumineux, comme un reflet du ciel étoilé. Des gens vont. Des gens viennent. Ils suivent leur route, en s'arrangeant avec les aléas, les soucis, les chagrins et les kalachnikovs, dans ce Caucase qui hésite toujours entre la paix et la guerre. Moi, je suis là. J'ai vingt ans, un père qui m'attend peut-être dans cette ville, une amoureuse dans une autre ville, et mon cœur qui fait le grand écart entre les pages de l'atlas.

Je me retourne. Gloria n'est plus qu'un corps allongé sous un drap ; je devine qu'elle ne verra pas le lever du jour.

Je m'approche d'elle. Je me penche pour embrasser son front immobile. Malgré l'immense chagrin qui me terrasse, je souris, et je serre sa main, très fort. Parmi tout ce qu'elle m'a donné, il y a ce remède infaillible contre le désespoir : l'espoir. Alors, tandis que mes larmes débordent, je lui promets de mener ma vie comme elle me l'a appris. En marchant toujours droit devant. Vers d'autres horizons.

Dans la même collection

**Gilly, grave amoureuse,
13 ans, presque 14...**
de Claire Robertson

Les larmes de l'assassin
d'Anne-Laure Bondoux

Cherry, ses amis, ses amours, ses embrouilles
d'Echo Freer

Quand j'aurai 20 ans
de Jacques Delval

Ciel jaune
de Marie-Hélène Delval

Accroche-toi, Sam !
de Margaret Bechard

Mercredi mensonge
de Christian Grenier

Angel Mike
de Regine Beckmann

Planète Janet
de Dyan Sheldon

Fantômes d'Opéra
d'Alain Germain

Comment devenir maître
du monde en vingt-six leçons et demie
de Dan Gutman

Une princesse
peut en cacher une autre
de Kate Brian

Le rat
de Magali Herbert

Comme un coquelicot
de Marie-Florence Ehret

Les démons de Nègreval
de Pierre Davy

Betsy et l'Empereur
de Staton Rabin

Pépites
d'Anne-Laure Bondoux

Losers' Club
de John Lekich

Écoute mes lèvres
de Jana Novotny Hunter

Sous le vent de la liberté
1. Lumières d'Amérique
2. Chasseurs et proies
3. Les temps cruels
de Christian Léourier

DJ Zoé
de Jonny Zucker

Hathaway Jones
de Katia Behrens

La marmite du Diable
d'Olivier Silloray

Le secret de Chanda
d'Allan Stratton

La traversée de l'espoir
de Waldtraut Lewin

Le voyage scolaire
de Moni Nilsson-Brännström

Plus un mot
de E. L. Konigsburg

Lune indienne
de Antje Babendererde

Un passé si présent
de Sally Warner

⌐ **Polyclinique**
⌐ Coeur-de-l'Île

Clinique-Réseau

529, rue Jarry Est, Bureau 201
Montréal, Québec H2P 1V4
Tél : 514-277-4111
Fax : 514-277-0387
info@polycdi.com
www.polycdi.com

Nom / *Name* _____

Adresse / *Address* _____

Date _____

REN	1	2	3	4	5		NR

Cet ouvrage a été mis en pages
par DV Arts Graphiques à la Rochelle

Impression réalisée par

La Flèche

en janvier 2009
pour le compte des Éditions Bayard

Imprimé en France
N° d'impression : 50169